MARCO ⊕ POLO

BERLIJN

POTSDAM

Joachim Nawrocki

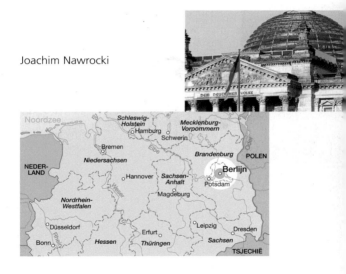

Tip **MARCO POLO-TIPS:**
Het allerbeste in elke categorie

★ **MARCO POLO-AANRADERS:**
Alles wat u over Berlijn moet weten

⚜ HIER HEBT U EEN MOOI UITZICHT

🏃 IN TREK BIJ JONGEREN

PRIJSKLASSEN

Hotels		Restaurants	
€€€	vanaf 150 euro	€€€	18–30 euro
€€	100–150 euro	€€	12–20 euro
€	60–120 euro	€	8–15 euro

De prijzen gelden voor twee personen per nacht in een tweepersoonskamer met ontbijt.

De prijzen gelden voor een hoofdmaaltijd, drankjes niet meegerekend.

KAARTEN

[96 A1] Bladzijdenummers en coördinaten voor de plattegrond van Berlijn

[0] Buiten de kaart

Plattegrond Potsdam op blz. 118/119

Ook van bezienswaardigheden die niet op de plattegrond vermeld staan, worden in de tekst de coördinaten gegeven.

GOED OM TE WETEN

INHOUD

De belangrijkste
MARCO POLO-aanraders

Bezienswaardigheden, plaatsen en ervaringen die u niet aan u voorbij mag laten gaan

 Rijksdag
De glazen koepel van Norman Foster vormt de kroon op dit gebouw (bladzijde 18)

Unter den Linden
De beroemdste boulevard van de stad begint bij het symbool van de stad: de beroemde Brandenburger Tor (bladzijde 20)

Gendarmenmarkt
Het mooiste plein van Berlijn wordt door historische gebouwen omringd (bladzijde 26)

 Glienicker Park
Prins Carl creëerde een stukje Italië in Berlijn: hier vindt u kastelen, paviljoens, fonteinen en beelden (bladzijde 28)

Pfaueninsel
Een prachtig gebied voor een wandeling – op het eiland in de Wannsee vindt u een fraai slot en prachtige tuinen (bladzijde 28)

Schloss Charlottenburg
Pruisische oase met een Frans tintje in het hart van de stad (bladzijde 29)

 Ägyptisches Museum
Nefertete, die mooie Egyptische vrouw met de respectabele leeftijd van 3340 jaar, blijft de bezoekers fascineren (bladzijde 36)

De Philharmonie aan de Kemperplatz

De schouwburg, Gendarmenmarkt

 Sammlung Berggruen
Heinz Berggruen schonk zijn
verzameling moderne kunst
aan Berlijn, de stad die hij in
1936 had moeten verlaten
(bladzijde 40)

 Pergamon-Museum
Indrukwekkende oudheden:
het altaar van Pergamon, de
Marktpoort van Milete en de
Isjtar-poort (bladzijde 43)

 Borchardt
Hier kwam vroeger de
kroonprins al, en de huidige
gasten doen nauwelijks voor
hem onder (bladzijde 53)

 Oren
U zult zich thuisvoelen in dit
gezellige restaurant in het
joodse culturele centrum
(bladzijde 55)

KaDeWe
Het grootste warenhuis van
het Europese vasteland, met
een onovertroffen levensmid-
delenafdeling (bladzijde 59)

Slot Sanssouci in Potsdam

 **Staatsoper
Unter den Linden**
Genieten van bijzondere
uitvoeringen en concerten
van de in 1570 opgerichte
Staatskapelle (bladzijde 72)

 Philharmonie
In deze concertzaal laat het
beste orkest van Duitsland horen wat het kan (bladzijde 79)

 Potsdam/Sanssouci
Hier wisselden Frederik en
Voltaire van gedachten – een
prachtig parklandschap met
tal van mooie gebouwen
(bladzijde 84)

★ *De aanraders staan aangegeven op de kaart achter op het boek*

5

Ontdek Berlijn

Berlijn ontwikkelt zich tot hoofdstad en metropool – maar de typische stadsbuurten zijn er nog altijd

De stad Berlijn is eindelijk weer één geheel geworden. De Muur vomde gedurende 28 jaar het symbool van de politieke kloof tussen oost en west, maar daarvan is nu haast niets meer te merken. Berlijn is de hoofdstad geworden van het verenigde Duitsland: het parlement en de regering zetelen er, evenals de bondspresident en de ministeries. In het kielzog van al deze overheidsinstellingen zijn mediabedrijven en dienstverlenende instanties naar de stad gekomen. Ook de hotels beleven goede tijden. Vooral in het oude centrum van Berlijn, dat lange tijd verwaarloosd werd, is veel bedrijvigheid. Tal van restaurants, galeries, kledingzaken en theaters hebben hun deuren geopend en maken Berlijn tot een van de interessantste steden van Duitsland.

De eenwording van de stad, die als een eiland in het voormalige Oost-Duitsland lag, de omvorming ervan tot een metropool, is een proces dat u tijdens uw verblijf aan den lijve zult ondervinden. En hoewel dit proces natuurlijk van een andere orde is dan een werkelijk histori-

Idyllisch plekje aan de Tegeler See

sche gebeurtenis als het vallen van de Muur, mag toch geconcludeerd worden dat Berlijn een spannende tijd doormaakt. Zelfs in de onooglijkste wijken en in de wijde omtrek van de stad ziet u bedrijvigheid en vernieuwing, maar men gaat niet onbezonnen te werk.

Oude gebouwen worden herontdekt en er verrijst veel nieuwbouw. Plekken die lange tijd verboden gebied waren of die door wanbeleid en de Koude Oorlog ontoegankelijk waren, krijgen een nieuwe bestemming. Verwaarloosde gebouwen worden opgeknapt en in gebruik genomen door de Bundesrat, volksvertegenwoordigers of ministeries. Slecht onderhouden wijken ontwikkelen zich tot toeristische attracties, zoals de Hackesche Markt. De opknapbeurt die de vele oude panden

De Brandenburger Tor, een van de symbolen van Berlijn

hebben ondergaan is beter geslaagd dan de nieuwbouw van kantoortorens en warenhuizen, hoewel daar ook goede voorbeelden van te geven zijn. Eén ding is duidelijk: Berlijn beleeft een bloeiperiode op het gebied van cultuur, wetenschap, toerisme en politiek.

Berlijn heeft de banden met zijn voorsteden weer aangehaald en de Berlijners beleven hun stad daardoor heel anders. In de directe nabijheid van de stad is in vrijwel ieder plaatsje een kerk of een kasteel te vinden waarvan toch op zijn minst de stijl is beïnvloed door Schinkel, Persius of Knobelsdorff, of een park dat op Lenné of Pückler is geïnspireerd, om van de bossen en meren rond de stad nog maar te zwijgen. De stad is compacter dan veel andere metropolen en daardoor hoeft u voor een uitstapje naar de natuur nooit ver te reizen.

Rondom de stad treft u bossen en meren aan

Zoals gezegd, verandert er veel in de stad. 'Wat er in Duitsland naar het hogere streefde, zoog zij met de kracht van een tornado in zich op,' schreef Carl Zuckmayer in de jaren twintig over Berlijn. Dat is nu weer het geval. De wisselwerking tussen de culturen uit Oost- en West-Duitsland die na de eenwording is ontstaan, heeft een grote, rijke kweekvijver van talent doen ontstaan. De 'generatie Berlijn', jonge schrijvers, succesvolle managers en een nieuwe generatie politici, speelt een belangrijke rol in de samenleving. Er waait een frisse wind door de stad. Er zijn overal feestelijke bijeenkomsten, galadiners, vernissages en modeshows, en wie over het juiste netwerk beschikt, hoeft geen avond thuis op de bank te zitten.

De nadelen waar de stad vroeger mee kampte – de geografische ligging, de aparte politieke status, het

Unter den Linden: zien en gezien worden

culturele isolement – zijn veranderd in voordelen. Berlijn heeft een heel nieuwe dimensie gekregen, er liggen steeds nieuwe uitdagingen voor de stad en dat spreekt mensen aan van over de hele wereld. En dan gaat het niet alleen om politici, ondernemers, financiers, journalisten en kunstenaars, maar vooral ook om bezoekers, die graag willlen meemaken wat er in de stad gebeurt. Zij genieten van het gevarieerde culturele aanbod, storten zich in het nachtleven en verkennen de stad en de mooie omgeving van Berlijn. De cafés, bars, clubs en jazzkelders van de stad trekken veel publiek. Het leven in Berlijn is een stuk hectischer geworden.

Berlijn is dan wel niet zo oud als Rome, Parijs of Keulen, maar kent niettemin een rijke geschiedenis, getuige de vele dorpskerken uit de Middeleeuwen, het jachtslot Grunewald uit de 16de eeuw en het Zeughaus uit de 17de eeuw. Al in 1100 trokken Duitse kolonisten van de Nederrijn naar dit gebied. Pas in 1237 werd Cölln aan de Spree voor het eerst in een officieel document genoemd, en het aan de overzijde gelegen plaatsje Berlijn pas in 1244. In 1411 benoemde keizer Sigismund burggraaf Frederik van Neurenberg tot stadhouder van de Mark Brandenburg. Op deze manier kwam het Huis Hohenzollern naar Berlijn, waar het zou blijven tot 1918. De eerste belangrijke keurvorst was Frederik Willem (1640–1688), die ook de Grote Keurvorst wordt genoemd. Hij stichtte de Brandenburgs-Pruisische staat en maakte van Berlijn de hoofdstad. Zijn zoon

>> *De Pruisische geschiedenis is alomtegenwoordig* «

liet zich in 1701 in Königsberg kronen tot koning Frederik I. Zijn opvolger, Frederik Willem I, was de 'soldatenkoning'. Hij liet fabrieken voor uniformstoffen en wapenfabrieken bouwen en bevorderde de handel, het bank- en het bouwwezen. In deze periode ontstonden de voorsteden van Berlijn. Zijn lievelingsgarde waren de beroemde 'Langen Kerls'. Later kwam Frederik II, Frederik de Grote, aan de macht. Hij stimuleerde cultuur en wetenschap, bevorderde de productie van katoen en zijde en kocht de Pruisische porseleinfabriek. Hij wist van Pruisen een grootmacht te maken, maar hij maakte daar niet veel vrienden mee.

Hierna volgde het tijdperk van de Romantiek: Ludwig Tieck, Joachim von Arnim, Heinrich von Kleist, de literaire salons van Rahel Varnhagen en Henriette Herz en later Bettina von Arnim hadden grote invloed op het culturele klimaat. In 1810 stichtte Wilhelm von Humboldt de universiteit van Berlijn, die een snelle groei doormaakte. De zogenaamde *Gründerjahre* begonnen: in 1815 de eerste machinefabriek van Freund en Egells, in 1821 het Gewerbeinstitut van Beuths, in 1826 de eerste gasfabriek, in 1837 Borsig, in 1847 Siemens en Halske. Berlijn ontwikkelde zich tot een stad van industrie en arbeid. In 1848 streden arbeiders, vaklui en studenten eensgezind voor een nieuwe, liberale grondwet.

In 1871 werd Berlijn de hoofdstad van het Duitse Rijk. Wilhelm I werd keizer, en zijn opvolger Frederik III bleef slechts 99 dagen op de troon.

Het beeld Berlin *van Brigitte en Martin Matschinsky-Denninghoff*

Hij werd op zijn beurt opgevolgd door Wilhelm II, die zich met veel enthousiasme in de Eerste Wereldoorlog stortte. Op 9 november 1918, exact 71 jaar voor de val van de Muur, ging hij in ballingschap. De Weimarrepubliek werd gekenmerkt door een ongekende culturele bloei en economische groei, maar ook door speculatie, faillissementen en sociale spanningen. In 1920 slokte Berlijn de omringende gemeenten op en ontstond Groot-Berlijn, dat 3,9 miljoen inwoners telde. Daarna volgden de twaalf ergste jaren uit de geschiedenis van Berlijn. In 1933 greep Adolf Hitler de macht, in 1939 begon de Tweede Wereldoorlog, in 1945 vond de capitulatie plaats. De trieste balans kon worden opgemaakt: miljoenen joden hadden de dood gevonden en talloze burgers waren omgekomen tijdens bombardementen.

> *Metropool met een rijke geschiedenis*

Berlijn werd door de geallieerden in vieren gedeeld en bezet. De geldhervorming van 1948 was voor de Sovjets aanleiding tot een totale blokkade van West-Berlijn, dat elf maanden lang via een luchtbrug van voedsel moest worden voorzien. De stad werd in tweeën gesplitst. Op 16 juni 1953 begon in Oost-Berlijn de volksopstand tegen het SED-regime, die de volgende dag door de Sovjets werd neergeslagen. Om de stroom vluchtelingen uit de DDR naar West-Berlijn tegen te houden, begon men op 13 augustus 1961 aan de bouw van de Muur. Dit maakte de DDR er echter niet stabieler op. Toen aan het eind van de jaren tachtig, na de omwenteling in de Sovjetunie, duidelijk was dat de Sovjets een nieuwe volksopstand niet zouden neerslaan, had het protest van de oppositie wel het gewenste effect. Op 4 november 1989 demonstreerden een miljoen burgers op de Alexanderplatz. Op 9 november viel de Muur, en daarmee het SED-regime. Deze vreedzame revolutie zegt ook een en ander over de mensen in Berlijn: het zijn rustige burgers, volhardend, wakker, slim, soms ook moedig en in ieder geval niet te onderschatten. De Berlijners waren altijd al een apart volkje. De moedigen, de verstotenen, de kansarmen trokken naar deze stad. De hugenoten, Bohemers en Sileziërs werden met argusogen bekeken, maar werden uiteindelijk opgenomen. Berlijners hebben de eigenschappen van de Germanen, de Galliërs en de Slaven, constateerde Gustav Langenscheidt: de taaiheid en onverstoorbaarheid van de eersten, de lichtzinnigheid en grootsprekerij van de tweeden, de kunst van het namaken en, niet te vergeten, de dorst van de derden.

Berlijner, dat ben je niet zomaar, je moet het worden. Wie het nog niet is, kan het dus worden. Vreemdelingen worden dan ook snel geaccepteerd, tenminste, zolang ze niet arrogant of stijf zijn, of een te tere ziel hebben. De Berlijners hebben namelijk nogal een grote mond, maar wie iets beter kijkt, ziet dat ze ook gevoelig kunnen zijn. Tegelijkertijd wordt het verhevene geïroniseerd of belachelijk gemaakt en neemt men afstand van ideologieën – 'Humor als de kuise uitdrukking van het gevoel,' constateerde schrijver Max Frisch na een verblijf in Berlijn. Wie een beetje eelt op zijn ziel heeft, zal gemakkelijk contact maken met de Berlijners. Karl Valentin zei: 'Een vreemdeling is alleen vreemd in den vreemde.' Dat gaat in Berlijn niet op, tenzij je het er zelf naar maakt.

De Berlijners: ruwe bolster, blanke pit

De beer is los

Het beroemde stadswapen van Berlijn

Sinds 1280 bevat het wapen van Berlijn een beer. In de periode daarvoor stond er op het stadszegel een adelaar en later moest die het wapen delen met de beer, bij wie hij op de rug zat. De beer en de 'muurkroon' sieren het wapen pas sinds 1875. Dat de naam 'Berlijn' iets met beren te maken heeft, is niet erg waarschijnlijk. Ook de Slavische herkomst van de naam is twijfelachtig, omdat gelijkluidende plaats- en familienamen al in Duitsland voorkwamen voor de in 650 begonnen Slavische kolonisatie van Duitsland. Vermoedelijk betekent 'Berlijn' zoveel als 'vaste plaats', dus zoiets als een door moerassen of water omgeven eiland.

Feesten en evenementen

Aan feestdagen wordt niet veel gedaan, maar men verveelt zich allerminst

Sinds de ministeries van Bonn naar Berlijn verhuisd zijn, is er zowaar iets ontstaan wat op carnaval lijkt, maar de Berlijners geven daar niet

Een internationale toerismebeurs in het beurscomplex

zoveel om. Er valt in hun stad altijd wel iets te beleven, van de Grüne Woche in januari tot de vele kerstmarkten die in alle delen van de stad gehouden worden. Ook de straat- en wijkfeesten die iedere maand wel ergens worden georganiseerd, trekken veel publiek. Bezoek het Britzer Baumblütenfest, het Turmstrassenfest, de Kreuzberger Festlichen Tagen, het Tierparkfest, de Köpenicker Sommer, het

Mariannenplatzfest, het Weissenseer Blumenfest of een kerstmarkt. Met officiële feestdagen weten de Berlijners niet zo goed raad. Op 1 mei demonstreert er nog een kleine groep volhouders. Zelfs Hemelvaart ('vaderdag') is niet meer wat het geweest is. Verklede mannen of *Band Wagons* met Dixielandbandjes zijn vrijwel geheel uit het straatbeeld verdwenen.

Bijzondere evenementen

Januari
Grüne Woche: varkens kijken, oesters eten en kaas kopen in het beurscomplex (Messegelände)

Januari/februari
Schauplatz Museum: talrijke evenementen in de Berlijnse musea, ter afsluiting de 'Lange Nacht der Museen'

Februari
Internationale Filmfestspiele: de kassuccessen en de flops van morgen

Maart
Internationale Tourismusbörse in het beurscomplex

Mei
★ *Theatertreffen*: meesterlijke uitvoeringen, gevolgd door het
🏃 *Theatertreffen der Jugend*

Internationale Luft- und Raumfahrt-ausstellung: presentatie van de nieuwste technische snufjes op luchthaven Schönefeld

Juni
Christopher Street Day: homo-seksuelen en lesbiennes paraderen bizar uitgedost door de stad.
Musikfestspiele Potsdam Sanssouci

Juni/juli
Tip *Open Air Classic Hoppegarten; Glienicker Schlosskonzerte:* voor liefhebbers van klassieke muziek

Juli
Jazz in July in Quasimodo
Classic Open Air op de Gendarmen-markt
🏃 *Love Parade:* meer dan 1 miljoen feestgangers maken van het centrum de grootste techno-disco ter wereld

Juli/augustus
Heimatklänge: culturen van de Der-de Wereld in het Haus der Kulturen der Welt en in Tempodrom bij het Ostbahnhof.
Brandenburgischen Sommerkonzerte: eind juni tot eind augustus klassieke en kerkelijke muziek in kerken en kastelen in en om Berlijn

Augustus
Lange Nacht der Museen: theater, dans en lezingen in meer dan 30 musea

Augustus/september
Internationale Funkausstellung: supershow van de mediabranche in de Messegelände (om het jaar)

September
Berliner Festwochen: muziek, theater, eindeloos dansen
🏃 *Oktoberfest:* vanaf half september wordt er feestgevierd.
Berlin-Marathon: half september worden de tienduizenden atleten aangemoedigd door honderd-duizenden bezoekers.
Art Forum Berlin: internationale kunstbeurs in het beurscomplex

Oktober
🏃 *Jazztreff:* in het Musikinstru-mentemuseum spelen de Berlijnse jazzmusici de sterren van de hemel

November
★ *JazzFest Berlin:* vier dagen feest
🏃 *KinderMusik TheaterWochen* met meer dan honderd uitvoeringen
Tip *Jüdische Kulturtage:* muziek, theater, literatuur – een aanrader!

December
Weihnachtsmärkte onder meer in het Europa Center en in Spandau

De Berlin-Marathon gaat van start bij de Brandenburger Tor

13

Sightseeing
van A tot Z

Berlijn heeft meer bruggen dan Venetië, meer oever dan de Côte d'Azur lang is en een groter wateroppervlak dan de meren in de Alpen

Na een paar korte wandelingen hebt u Berlijn nog niet gezien. Daarvoor is de stad met ruim 3,5 miljoen inwoners en 880 km² te groot: 38 km van noord naar zuid en 45 km van oost naar west. Het hele Ruhrgebied past erin.

Het is zeker de moeite waard de Kurfürstendamm eens af te slenteren, in de zijstraten rond te kijken of de bijzondere sfeer rond de Sophienkirche of de Neue Synagoge in u op te nemen. Ook het behouden en gerestaureerde stuk van de prachtige boulevard Unter den Linden is aan te bevelen als u een indruk wilt krijgen hoe mooi Berlijn eens was.

De mooiste gedeelten van Berlijn liggen evenwel niet in het centrum van de stad, en de nog enigszins authentieke wijken evenmin. Berlijn beleeft u door rustig door de wijk Charlottenburg te wandelen of door het oude Rixdorf met de restanten van de Boheemse kolonie, en natuurlijk door de wijken Prenzlauer Berg en 'Klein-Istanbul' tussen Kottbusser Tor en Schlesisches Tor. Verderop in Spandau, in de omgeving

Achter het Rote Rathaus rijst de Fernsehturm op

Turkse markt in Kreuzberg

van Kolk en Behnitz, bevindt u zich officieel nog binnen de stadsgrenzen, maar de inwoners voelen zich geen Berlijners.

De echte juweeltjes van Berlijn liggen ver buiten de binnenstad: slot en park Charlottenburg, het Pfaueninsel ('pauweneiland') met zijn kasteel, het Tierpark met het kasteeltje Friedrichsfelde, het Tegeler Fliess, het sloteiland van Köpenick en de reusachtige meren en de bossen waardoor u urenlang kunt wandelen zonder veel mensen tegen te komen. Bij de Wannsee met zijn beroemde strandbad, en bij de Müggelsee of Tegeler See zijn voldoende mogelijkheden voor waterrecreatie en u vindt er bovendien een behoorlijk aantal uitspanningen waar u even uit kunt rusten.

BELANGRIJKE GEBOUWEN EN MONUMENTEN

Charité [109 F1–2]

Charité ('barmhartigheid') is sinds 1727 de naam van het oudste ziekenhuis van Berlijn, dat in 1710 als pesthuis werd gebouwd. Het oudste bewaard gebleven gebouw is het voormalige pokkenziekenhuis uit 1836. De meeste gebouwen werden rond 1900 in neogotische stijl gebouwd; van veraf zichtbaar is de torenflat (1977–1982). Er werkten beroemde artsen, onder wie Hufeland, Virchow, Koch en Sauerbruch. Het complex omvat ook: het *Medizinhistorisches Museum*, met pathologisch-anatomische preparaten *(di en do–zo 10.00–17.00, wo 10.00–19.00 uur). Mitte, Schumannstrasse 20–21, U-Bahn: Oranienburger Tor, bus 147*

Denkmal für die ermordeten Juden Europas [109 F4]

In 2001 is men begonnen met de bouw van dit omstreden monument, dat alleen al door zijn omvang indrukwekkend is. De talloze stèles vormen een monument voor de miljoenen joden die in Europa om het leven zijn gebracht. Er is ook een informatiecentrum. *Mitte, Behrenstrasse/Ebertstrasse, S-Bahn: Unter den Linden*

Evangelisches Johannisstift [0]

Deze bij het Spandauer Fort gelegen diaconale instelling, in 1910 rond de stiftskerk gevestigd, omvat woonruimte, een ziekenhuis, een kinderdagverblijf, scholen, sportaccommodatie en winkels. Goede startplek voor lange wandelingen. *Spandau, Schönwalder Allee 26, bus 145*

Fernsehturm [99 F3]

★ ◀▮▶ De toren werd tussen 1966 en 1969 gebouwd in het kader van een opknapbeurt van de Alexanderplatz en omgeving. Met 365 m is het een van de hoogste bouwwerken van Europa. In de bol op 207 m hoogte bevindt zich een café dat tweemaal per uur om zijn as draait. *Dag. 9.00–1.00 uur, Panoramacafé dag. 10.00–1.00 uur, Mitte, Panoramastrasse 1a, U- en S-bahn: Alexanderplatz*

Funkturm [106 B5]

◀▮▶ Voor de opening van de derde Duitse Funkausstellung in 1926 werd 'het kleine broertje' van de Parijse Eiffeltoren in gebruik genomen. Het 138 m hoge symbool van Berlijn werd Langer Lulatsch ('lange slungel') gedoopt en biedt naast een fantastisch uitzicht over de stad ook een restaurant op 55 m hoogte. *Dag. 10.00–23.00 uur, Charlottenburg, Messedamm, S-bahn: Witzleben, U-Bahn: Kaiserdamm*

Gotisches Haus [0]

Het oudste huis van de stad (circa 1500). Het is herhaaldelijk verbouwd, bijvoorbeeld na een brand aan het eind van de 18de eeuw. *Tentoonstelling over de bouwgeschiedenis van Spandau ma–vr 10.00–17.00 uur, za 10.00–13.00 uur, Spandau, Breite Strasse 32, U-Bahn: Altstadt Spandau*

ICC Internationales Congress-Centrum [112 B1]

Het 320 m lange en 80 m brede gebouw lijkt met zijn gevel van aluminium wel op een reusachtig ruimteschip (architecten: Ralf Schüler en Ursulina Schüler-Witte). Over de kosten werd tijdens de bouw (1973–

Marco Polo-aanraders
Bezienswaardigheden

★ **Fernsehturm**
Met het mooiste uitzicht over Berlijn (bladzijde 16)

★ **Glienicker Park**
Classicisme en Romantiek tussen Berlijn en Potsdam (bladzijde 28)

★ **Hackesche Höfe**
In deze wijk vindt u het nieuwe Berlijn (bladzijde 33)

★ **Marienkirche**
Oude parochiekerk in Berlijn, met het dodendansfries (bladzijde 24)

★ **Pfaueninsel**
Wandelen in Pruisisch Arcadië (bladzijde 28)

★ **Gendarmenmarkt**
Wellicht ooit weer Europa's mooiste plein (bladzijde 26)

★ **Rijksdaggebouw**
Een nieuwe glazen koepel siert de zetel van de Bondsdag (bladzijde 18)

★ **Schloss Charlottenburg**
Op bezoek bij Frederik de Grote en koningin Luise (bladzijde 29)

★ **Unter den Linden**
Prachtige straat met een rijke geschiedenis (bladzijde 20)

★ **Zitadelle Spandau**
Vesting uit de 16de eeuw met de Juliusturm uit de 12de eeuw (bladzijde 19)

1976) veel gedebatteerd; ze bereikten de astronomische hoogte van 500 miljoen euro. Naast congressen vinden hier het Bal van de Pers en concerten plaats. Voor de ingang staat het plastiek *Een mens bouwt een stad* van Jean Ipousteguy. *Charlottenburg, Messedamm, U-Bahn: Kaiserdamm, S-Bahn: Witzleben, bus X21, X49, 104, 149, 204, 219*

Kulturforum [109 E4–5]
De Britse architect James Stirling noemde de verzameling gebouwen aan de Kemperplatz de 'grootste architectuurdierentuin ter wereld'. Hier staan bij elkaar: de Neue Nationalgalerie (1965–1968, Mies van der Rohe), de St.-Matthäus-Kirche (1844–1846, Stüler), de Philharmonie (1960–1963, Scharoun), de Kammermusiksaal (1984–1987) en het Musikinstrumenten-Museum (1979–1984, beide Wisniewski, naar een idee van Scharoun) en het minder geslaagde Kunstgewerbe-Museum (1973–1985, Gutbrod), verder het Kupferstichkabinett (1994, Gutbrot/Hilmer/Sattler) en de Gemäldegalerie (1996, Hilmer/Sattler). Ertegenover aan de Potsdamer Strasse staat de Staatsbibliothek (1967–1978, naar ontwerpen van Scharoun). *Tiergarten, Kemperplatz, U-Bahn: Potsdamer Platz*

Messegelände [106 A5–6]
Al in 1822 was er een beurs in Berlijn, een nijverheidstentoonstelling, maar niet op deze plaats. Tentoon-

Fonkelnieuwe fietsriksja's wachten voor de Rijksdag op passagiers

stellingen als de Grüne Woche, Internationale Tourismus-Börse of de Internationale Funkausstellung trekken honderdduizenden bezoekers. *Charlottenburg, Hammarskjöldplatz 1, U-Bahn: Kaiserdamm, S-Bahn: Witzleben*

Olympia-Stadion
en Waldbühne [O]

Voor de Olympische Spelen van 1936 door Werner March gebouwd. Hier stond de legendarische Jesse Owens viermaal als winnaar op het podium. Het stadion is de thuisbasis van voetbalclub Hertha BSC. Naast het sportcomplex bevindt zich de Waldbühne, die ook in 1936 werd gebouwd. Hier kunnen 20.000 bezoekers concerten bijwonen. *Charlottenburg, Am Glockenturm, U-Bahn: Olympia-Stadion, bus A18*

Tip

Rijksdaggebouw en
regeringswijk [98 A2]

★ Naar ontwerpen van Paul Wallot in de jaren 1884–1894 gebouwd, net als het paleis van de rijksdagpresident ertegenover. Door de brand in de Rijksdag in 1933 en de gevechten om Berlijn liep de Rijksdag zware schade op, maar het gebouw werd tussen 1961 en 1972 gerenoveerd. In 1990 trad hier de eerste Bondsdag van het herenigde Duitsland aan. In de zomer van 1995 werd de Rijksdag door de kunstenaars Christo en Jeanne-Claude ingepakt; eromheen vond een vrolijk volksfeest plaats dat vele dagen en nachten duurde. Daarna werd het gebouw volledig uitgekleed, om naar een ontwerp van Norman Foster – met een nieuwe koepel – te worden verbouwd. Sinds september 1999 zetelt de Bondsdag weer in Berlijn. De koepel en het dakrestaurant zijn toeristische attracties, die tot 22.00 uur bezocht kunnen worden.

In de directe omgeving van de Rijksdag zijn moderne parlementsgebouwen verrezen, en op de westelijke oever van de Spree staat nu de imposante zetel van de bondskanselier, naar een ontwerp van de architecten Schultes en Frank. De kanselarij en de bondsdaggebouwen ertegenover maken deel uit van de 'Band des Bundes', die voltooid zal zijn na de bouw van het Bundesforum. *Bezoekerscentrum Deutsche Bundestag (rondleidingen en het bijwonen van vergaderingen) tel. 227–32152, bezichtiging van de koepel dag. 8.00–24.00 uur, toegang tot 22.00 uur, Tiergarten, Platz der Republik, Bundeskanzleramt: Willy Brandt-Strasse 1, S-Bahn: Unter den Linden*

Ribbeck-Haus [99 E4]

Het enige bewaard gebleven renaissancegebouw (1624). Bouwheer Hans Georg von Ribbeck behoorde tot de familie van de 'Ribbecks auf Ribbeck im Havelland', waarover Theodor Fontane een beroemd gedicht schreef. *Mitte, Breite Straße 35, U-Bahn: Spittelmarkt*

Riehmers Hofgarten [116 A3]

🏃 Nog altijd een toonbeeld van menswaardig wonen in een grote stad. Riehmer bouwde het complex van rijkversierde woonhuizen van vijf verdiepingen tussen 1881 en 1892, in het gebied tussen de Yorck-, Hagelberger en Grossbeerenstrasse. De gevels aan de hof- en aan de straatkant zijn even mooi. *Kreuzberg, Yorckstrasse 83– 86, U-Bahn: Mehringdamm*

Het Rote Rathaus [99 F3]

De zetel van het stadsbestuur dankt zijn naam niet aan een politieke stroming, maar aan zijn rode bakstenen. Het werd tussen 1861 en 1870 gebouwd in neorenaissan

cistische stijl. Rondom het gebouw loopt een fries dat de geschiedenis van Berlijn van de 13de tot de 19de eeuw weergeeft. Toen in 1948 de politieke deling van de stad een feit was, verhuisde de alleen nog voor het westelijke stadsdeel verantwoordelijke burgemeester Ernst Reuter naar het raadhuis van Schöneberg, dat later ook de zetel van het parlement werd. Pas de omwenteling van 1989 maakte de weg vrij voor de hereniging van de stadsdelen, zodat sinds 1990 de burgemeester weer in het Rote Rathaus zetelt. *Ma–vr 9.00–18.00 uur, Mitte, Rathausstrasse, U- en S-Bahn: Alexanderplatz, bus 100, 142, 157, 348*

Stasi-Zentrale [0] Tip

Aan de Normannenstrasse bevond zich de zetel van het ministerie van de Binnenlandse Veiligheid van de DDR, de geheime dienst; duizenden Stasi-medewerkers werkten in het beveiligde gebouwencomplex. Het bureau van minister Mielke kan worden bezichtigd, alsmede documenten over de persoonsvervolging in de DDR, observatietechnieken en cultvoorwerpen van de Stasi. *Ma–vr 11.00–18.00 uur, za en zo 14.00–18.00 uur, Lichtenberg, ingang Ruschestrasse 103 (huis 1), U-Bahn: Magdalenenstrasse*

Zitadelle Spandau [0]

★ In de 16de eeuw namen bouwmeesters de tijd voor hun werk. De naar Italiaans voorbeeld op een eiland in de Havel gebouwde vesting werd in 1590 ingewijd, na een bouwtijd van 30 jaar. Nog ouder dan de citadel is de Juliusturm binnen de muren, die uit de 12de eeuw stamt. Het Palas (hoofdgebouw) is al rond

1220 ontstaan. In de muur aan de zuidzijde bevinden zich grafstenen, die van het joodse kerkhof van Spandau afkomstig zijn. Dat werd na de verdrijving van de joden uit de Mark in het jaar 1520 verwoest. Sinds 1960 is het Spandauer Heimatmuseum in het Palas ondergebracht. Er is tevens een restaurant gevestigd. *Di–vr 9.00–17.00, za en zo 10.00–17.00 uur, restaurant di–vr vanaf 19.00 uur, op za en zo vanaf 11.00 uur, Spandau, Am Juliusturm, U-Bahn: Zitadelle*

Tip

Gedächtniskirche aan de Ku'damm

BOULEVARDS

Kurfürstendamm [112 C2–114 A1]
🏃 Dit was jarenlang de 'etalage van het Westen', met dure winkels, chique hotels en goede restaurants, maar in de loop der jaren is het aanzien van de 3 km lange boulevard veranderd. De royale breedte ervan (52 m) werd door Bismarck persoonlijk vastgesteld. Fastfoodrestaurants, chique boetieks en straathandelaren concurreren er nu met vanouds gevestigde winkels. Iets chiquer wordt het in de zijstraten. En toch: Café Kranzler of een van de andere straatcafés met uitzicht op de kleurrijke mensenmassa mag u niet overslaan! In de 16de eeuw was de wandelpromenade een ruiterpad dat de keurvorsten gebruikten om van het Berliner Schloss naar het jachtslot Grunewald te gaan. Van de herenhuizen van omstreeks 1900 hebben er slechts veertig de Tweede Wereldoorlog doorstaan. *Charlottenburg, U-Bahn: Kurfürstendamm*

Unter den Linden [98–99 B–D3]
★ Veel bezongen en de beroemdste boulevard van Berlijn. De imposante bouwwerken staan dicht op elkaar. De oudste stammen uit de tijd van de Pruisische koningen Frederik I en II. De linden, die in 1647 aan de koninklijke jachtweg werden geplant, staan er al lang niet meer. Een wandeling kunt u het best beginnen bij de Brandenburger Tor. In de buurt van de Pariser Platz staat de monumentale ambassade van de Russische Federatie. De Staatsbibliotheek (1903–1914), die ongeveer drie miljoen boeken herbergt, is slecht onderhouden. Direct daarnaast staat de Humboldt-Universiteit, gebouwd tussen 1749 en 1766 als paleis voor prins Heinrich. Sinds 1810 is het een universiteit. De eerste rector was Johann Gottlieb Fichte. Ook andere beroemde geleerden onderwezen hier: Ludwig Feuerbach, Georg Wilhelm Frie-

drich Hegel, de gebroeders Grimm, Albert Einstein en Max Planck, Robert Koch, Ferdinand Sauerbruch en Rudolf Virchow. Aan de overkant staat de voormalige Königliche Bibliotheek (1775–1780), die vanwege zijn vorm de Kommode wordt genoemd. Links daarvan de Staatsoper in de stijl van een Corinthische tempel. De Knobelsdorff-Bau (1741–1743) werd honderd jaar na de bouw verwoest door een brand en werd herbouwd door Langhans en met beelden van de Griekse dichters Aristophanes, Euripides, Meandros en Sophocles versierd. Aan deze kant van de straat volgen nog het Prinzessinnen-Palais (nu Opernpalais) en het Kronprinzen-Palais, die beide in de 18de eeuw werden ontworpen. Ze zijn in de jaren zestig gerenoveerd, nadat ze in de oorlog waren beschadigd. Aan de overkant zien we de Neue Wache van Schinkel (1817–1818), nu een gedenkteken voor de slachtoffers van oorlog en dictatuur. Het gebouw ernaast is het voormalige arsenaal, het grootste barokgebouw uit de tijd van koning Frederik I dat bewaard is

gebleven. In 1695 begon Nehring aan de bouw, waarna Grünberg en Schlüter ermee verder gingen. Jean de Bodt voltooide het ten slotte in 1706. Bekijk Schlüters maskers van stervende krijgers op de binnenplaats. Het gebouw biedt onderdak aan het Deutsche Historische Museum. *Mitte, S-Bahn: Unter den Linden*

BRUGGEN

Glienicker Brücke [O]

Deze brug verbindt Berlijn met Potsdam en mocht tot begin 1990 alleen door de geallieerden worden overgestoken. De brug vormde wereldnieuws wanneer het Oosten en het Westen er hun spionnen uitwisselden. *Wannsee, Königsweg, S-Bahn: Wannsee, vervolgens bus 116*

Jungfernbrücke [99 D4]

Sinds 1798 overspant deze brug de zuidelijke arm van de Spree naar de Friedrichsgracht. Ook de technische constructie van de ophaalbrug is in de originele toestand bewaard gebleven. *Mitte, Werderscher Markt, U-Bahn: Spittelmarkt*

Ontspannen

Na een drukke dag in de stad komt u tot rust in de sauna of tijdens een massage

U kunt op talloze plekken in de stad terecht voor een uurtje fitness of een massage, maar twee adressen in Schöneberg springen eruit: in *Luxor – The Temple of Wellness* kunt u zich ontspannen tijdens een typisch Hawaiiaanse Lomi-Lomi-Nui-massage of een Ayurveda-massage (vier handen!) in Egyptische sfeer *(Akazienstr. 28, tel. 78709507, U-Bahn: Eisenacher Strasse)*. Voor aerobic, fitness, yoga, een sauna, een solarium, een zwembad, een terras en een restaurant moet u zijn bij *Ars Vitalis (Hauptstr. 19, tel. 7883536, U-Bahn: Kleistpark)*.

Schlossbrücke [99 D3]

Deze brug verbindt Unter den Linden met de Schlossplatz en werd tussen 1821 en 1824 gebouwd naar ontwerpen van Schinkel. De brug is voorzien van gietijzeren borstweringplaten met daarop zeedieren en acht sculpturen van een door godinnen geëscorteerde krijger die van wit Carrara-marmer zijn gemaakt (1847–1857). *Mitte, Unter den Linden, U-Bahn: Hackescher Markt, U-Bahn: Hausvogteiplatz*

FONTEINEN

Märchenbrunnen [111 E1]

Deze reusachtige fontein, die in 1913 door Ludwig Hoffmann werd gebouwd, doet de kinderjaren op romantische wijze herleven. De figuren uit de sprookjes van de gebroeders Grimm sproeien in het volkspark Friedrichshain. *Friedrichshain, Am Friedrichshain/Friedenstrasse, U-Bahn: Rosa-Luxemburg-Platz, bus 100, 142*

Neptunbrunnen [99 F3]

In het derde jaar van zijn regering (1888–1918) kreeg keizer Wilhelm II de fontein ter verfraaiing van de Schlossplatz cadeau. Beeldhouwer Reinhold Begas plaatste de zeegod op een schelp en omringde hem met vier vrouwenfiguren, die de Rijn, de Elbe, de Oder en de Weichsel symboliseren. Men noemde hen al gauw de vier stilste vrouwen van Berlijn, omdat ze 'dauernd den Rand halten müssen' ('Rand halten' betekent, behalve 'de rand vasthouden', ook 'je mond houden'). De fontein werd na restauratie (1969) voor het Rote Rathaus geplaatst. *Mitte, Rathausstrasse, U- en S-Bahn: Alexanderplatz*

Op de Schlossbrücke van Schinkel staan fraaie marmeren beelden

Wasserklops [97 E4]

🏃 De Berlijners komen altijd snel met bijnamen. Ze doopten Joachim Schmettaus wereldbol-fontein om tot 'Wasserklops'. De fontein is het middelpunt van de grootsteedse Breitscheidplatz tussen de Gedächtniskirche en het Europa Center geworden. *Charlottenburg, U-Bahn: Zoologischer Garten*

KERKHOVEN

Dorotheenstädtischer Friedhof [104 A6]

Dit romantische kerkhof ligt pal naast het Brecht-Haus, waarin de dichter van 1953 tot 1956 en zijn vrouw Helene Weigel tot 1971 woonden en werkten. Ze zijn hier ook allebei begraven. Deze begraafplaats, waar veel geleerden en kunstenaars begraven zijn, werd al in 1762 aangelegd. Hier liggen ook de filosofen Johann Gottlieb Fichte en

Georg Wilhelm Hegel, evenals de architect Karl Friedrich Schinkel, de beeldhouwers Johann Gottfried Schadow en Christian Daniel Rauch, de schrijvers Heinrich Mann, Arnold Zweig en Heiner Müller. *Mitte, Chausseestrasse 126, U-Bahn: Zinnowitzer Strasse*

Friedhöfe
am Halleschen Tor [116 A–B 2–3]
De kerkhoven waren eigenlijk voor de armen en de Bohemers bedoeld, maar trokken na te zijn uitgebreid en verfraaid ook de belangstelling van goed gesitueerde families. Tegenwoordig behoren de kerkhoven voor de vroegere stadspoort tot de belangrijkste van Berlijn. Mooie en wonderbaarlijke grafstenen en mausolea weerspiegelen hier het burgerlijke Berlijn van Frederik de Grote. Er liggen veel beroemde Berlijners begraven: Georg Wenzeslaus von Knobelsdorff, Henriëtte Herz, Rahel en Karl August Varnhagen von Ense, de familie Mendelssohn-Bartholdy, Adalbert von Chamisso, E.T.A. Hoffmann en Adolf Glasbrenner. *Kreuzberg, Mehringdamm/Zossener Strasse, U-Bahn: Hallesches Tor*

Jüdischer Friedhof
Weissensee [0]
Bij de hoofdingang van de grootste joodse begraafplaats in Europa herinnert een zwarte steen aan de door de nazi's vervolgde en omgebrachte joden: 'Gedenke Ewiger was uns geschehen'. Op het grote, bomenrijke terrein, dat in 1880 werd ingewijd, liggen naar schatting 120.000 mensen begraven. Veel graven zijn overwoekerd en alleen door dicht struikgewas te bereiken, want de joodse gemeente is te arm om hoveniers aan te stellen. Hun laatste rustplaats vonden hier schilder Lesser Ury, de uitgevers Samuel Fischer en Rudolf Mosse, hoofdredacteur van het Berliner Tagesblatt Theodor Wolff, 'warenhuiskoning' Hermann Tietz en de verzetsstrijder Herbert Baum. Onmiddellijk rechts naast de ingang liggen de door de nazi's ontwijde thorarollen 'begraven'. Mannen mogen de joodse begraafplaats alleen betreden met een hoofdbedekking, die bij de conciërge te huur is. *Zo–do 8.00–17.00 ('s winters tot 16.00 uur), vr 8.00–15.00 uur, op joodse feestdagen tot 13.00 uur. Weissensee, Herbert-Baum-Strasse 45, S-Bahn: Greifswalder Strasse, tram 2, 3, 4, 23*

Stahnsdorfer Friedhof [0] Tip
Ten zuidwesten van de stad gelegen begraafplaats, die vanwege de talloze mausolea en de houten kerk zeer bezienswaardig is. *Stahnsdorf, Bahnhofstrasse, vanaf S-Bahn Zehlendorf bus 623*

KERKEN

Dom zu Berlin [99 E3]
De dom werd als 'hoofdkerk' van het Pruisische protestantisme tussen 1894 en 1905 door Raschdorff gebouwd naar het voorbeeld van de Italiaanse hoogrenaissancestijl. Door de drukke versieringen en de grootte werd het echter een karakteristiek bouwwerk uit de tijd van keizer Wilhelm II. Schinkels dom, die voorheen op deze plek stond, was ingetogener en mooier; uit deze kerk stamt het altaarbeeld van Carl Begas. Bezienswaardig is de graftombe van de Hohenzollerns. In het souterrain vindt u een museumwinkel en een café. *Bezichtigingen ma–za 9.00–20.00, zo*

12.00–20.00 uur behalve tijdens kerkdiensten, rondleidingen diverse keren per dag, Mitte, Am Lustgarten, S-Bahn: Hackescher Markt, U-Bahn: Alexanderplatz

Dorfkirche Marienfelde [0]

De oudste van de rond vijftig bewaard gebleven dorpskerken in Berlijn. Deze werd rond 1220 door boeren op het ook nu nog door boerenhuizen omgeven dorpsplein gebouwd. Een prachtig voorbeeld van middeleeuwse kerkarchitectuur. *Tempelhof, Alt-Marienfelde, S-Bahn: Buckower Chaussee, bus 172*

Friedrichs-Werdersche Kirche [99 D4]

Dit godshuis (1830) geldt als de belangrijkste kerk van Schinkel. Het neogotische bakstenen gebouw was toonaangevend voor de kerkbouw in Pruisen. Na de Tweede Wereldoorlog werd de beschadigde kerk gerestaureerd. Binnen is het Schinkelmuseum. *Di–zo 9.00–18.00 uur, Mitte, Werderstrasse, U-Bahn: Hausvogteiplatz*

St.-Hedwigs-Kathedrale [99 D4]

De ronde koepel uit 1747 doet denken aan het Pantheon in Rome. Het idee stamde van Frederik II, verwezenlijkt werd het door Jean Legeay en Johann Boumann. Door de bouw van deze katholieke kerk op het Forum Fredericianum wilde Frederik II blijk geven van zijn religieuze tolerantie. *Ma–za 10.00–17.00 uur, zo 13.00–17.00 uur, Mitte, Bebelplatz, U-Bahn: Hausvogteiplatz*

Kaiser-Wilhelm-Gedächtniskirche [97 D–E4]

Van de 113 m hoge toren resteert slechts een ruïne. Franz Schwechten bouwde deze kerk tussen 1891 en 1895 ter nagedachtenis aan de in 1888 overleden Wilhelm I. De nieuwe, achthoekige kerk is door Egon Eiermann ontworpen. Hij werd in 1961 ingewijd. Opvallend is de in 1895 door Fritz Schaper gemaakte Christusfiguur in de ruïne van de toren. De mozaïeken in de Gedächtnishalle laten nog iets zien van de wilhelminische pracht van het oorspronkelijke gebouw. *Dag. 9.00–19.00, za 18.00 uur: orgelmuziek, Charlottenburg, Breitscheidplatz, U-Bahn: Kurfürstendamm, Zoologischer Garten*

Marienkirche [99 F3]

★ Deze uit de 13de eeuw stammende kerk werd na de grote brand van 1380 herbouwd en in 1405 ingewijd. De toren is in 1789 door Carl Gotthard Langhans ontworpen. Vooral de muurschildering *Dodendans* uit 1485 en de marmeren preekstoel van Andreas Schlüter (1703) zijn de moeite van het bekijken waard. Er zijn interessante grafmonumenten en grafstenen uit de 16de tot de 18de eeuw te zien. In de buurt van de Marienkirche werd trouwens in 1325 een gruwelijke moord gepleegd. Een woedende menigte sloeg de gehate proost Nikolaus von Bernau dood en verbrandde hem. Voor straf ging Berlijn in de ban en moest de stad een kruis oprichten. Het kruis bij de hoofdingang is vermoedelijk een kopie. *Ma–do 10.00–12.00 en 13.00–16.00, za, zo 12.00–16.00 uur, Mitte, Karl-Liebknecht-Strasse, U-Bahn en S-Bahn: Alexanderplatz*

Neue Synagoge [99 D1]

Toen deze synagoge in 1866 was voltooid, was hij met 3200 zitplaatsen de grootste ter wereld. De joodse gemeente telde destijds zo'n 18.000 leden. Het gebouw van Eduard Knoblauch en Friedrich August Stüler maakte bij de inwijding een Berlijnse journalist enthousiast: 'Een sprookjesachtig bouwwerk, dat ons laat kennismaken met de wonderen van een modern Alhambra, met zijn bekoorlijke ranke zuilen, fraai gekromde bogen, kleurrijke arabesken en snijwerk in vele lagen; het heeft de betovering van de Moorse stijl.' Het gebouw werd door de SA licht beschadigd, maar een bombardement in 1943 richtte grote schade aan. De wederopbouw van de gevel was op 6 september 1991, de 125ste verjaardag van de inwijding, afgerond. Ook het interieur is gerestaureerd. De synagoge is zetel van het 'Centrum Judaicum'. *Zo, ma 10.00–20.00 uur, di en do 10.00–18.00 uur, vr 10.00–17.00 uur, Mitte, Oranienburger Strasse 30, U- en S-Bahn: Oranienburger Strasse, tram 1, 13*

Sophienkirche [99 E1]

Koningin Sophie Luise legde de eerste steen in 1712. De enig overgebleven barokke kerktoren van Berlijn stamt uit de jaren 1729–1735. De kansel dateert uit 1712, de doopvont uit 1741. Op het kerkhof vindt u de graven van de historicus Leopold von Ranke en de musicus Carl Friedrich Zelter. *Wo 15.00–18.00 uur, Mitte, Grosse Hamburger Strasse 29, U-Bahn: Weinmeisterstrasse*

PLEINEN

Alexanderplatz [111 D2]

De 'Alex' – oorspronkelijk een veemarkt en een exercitieterrein bij de stadspoort en pas in 1805 naar de Russische tsaar genoemd – is niet alleen door de roman van Alfred Döblin uit 1929 tot ver buiten Berlijn beroemd geworden. Zestig jaar later was het plein het toneel van de revolutie in de DDR: op 4 november eisten hier 1 miljoen mensen het recht om te demonstreren, het recht van samenscholing en persvrijheid. In de jaren zestig werd het plein tot vijfmaal zijn oorspronkelijke grootte uitgebreid en met 'socialistische' architectuur omgeven: het is een groot en winderig plein, maar volgens de plannen zal het kleiner worden gemaakt. *Mitte, U- en S-Bahn: Alexanderplatz*

Op de 'Alex' is veel veranderd

Gendarmenmarkt [98 C4]

★ Sinds kort heet dit plein weer zoals het tot 1950 heette, genoemd naar het regiment Gens d'Armes, waarvan de barakken van 1736 tot 1773 de Deutsche en de Französische Dom omringden. De twee kerken werden tussen 1701 en 1708 gebouwd. Tachtig jaar later werden door Carl von Gontard de koepeltorens toegevoegd. Beide kerken zijn rijk met sculpturen versierd. Op de trappen van de Deutsche Dom werden op 22 maart 1848 de 183 kisten met de doden van de 'nacht van de barricaden' opgebaard. Een lange rouwstoet begeleidde hen vandaar naar het kerkhof Friedrichshain. In de Französische Dom is het Hugenotenmuseum ondergebracht, de kerk werd immers ooit voor de 20.000 van Frankrijk naar Pruisen gevluchte hugenoten gebouwd. U heeft een mooi uitzicht vanuit de toren, na een klim van 80 treden. Tussen de laatbarokke kerken staat het Schauspielhaus van Schinkel (1818– 1821). Gustaf Gründgens was de laatste intendant. Sinds de restauratie wordt het theater uitsluitend voor concerten gebruikt en wordt het Konzerthaus genoemd; ervoor staat een marmeren monument voor Schiller uit 1871 van Reinhold Begas. *Mitte, U-Bahn: Stadtmitte*

Pariser Platz [98 A3]

Dit is het beroemdste van de drie pleinen die in het kader van de uitbreiding van de stad rond 1734 werden aangelegd en waarvan de oorspronkelijke namen verwezen naar de vorm die ze ook nu nog hebben: Quarrée (Pariser Platz), Octogon (Leipziger Platz) en Rondell (Mehringplatz). Het wereldberoemde symbool van de Pariser Platz is de Brandenburger Tor, een van de 18 poorten die de stad ooit rijk was. Carl Gotthard Langhans bouwde de poort (1789–1791) naar het voorbeeld van de Propyleeën in Athene. Johann Gottfried Schadow vervaardigde het fraaie vierspan, dat in 1807 als oorlogsbuit door Napoleon naar Parijs werd verplaatst en in 1814 door Von Blücher weer werd teruggehaald.

Na de feestelijkheden rond het vallen van de Muur begon men met de wederopbouw van het plein. Aan weerszijden van de poort bevinden

De schouwburg en de Französische Dom op de Gendarmenmarkt

zich het Liebermann-Haus en het Haus Sommert, beide een povere nabootsing van het origineel. De Franse ambassade is nog in aanbouw, terwijl men aan de Amerikaanse ambassade en de Akademie der Künste nog moet beginnen. Bij het begin van Unter den Linden staat het in Jugendstil gebouwde Hotel Adlon en om de hoek in de Wilhelmstrasse de hypermoderne Engelse ambassade. *Mitte, S-bahn: Unter den Linden*

Potsdamer Platz [98 A4–5]

🏃 Ooit het drukste plein van Europa, na de oorlog braakliggend terrein bij de Muur, tegenwoordig het toneel van bouwactiviteiten. De hoofdkantoren van Daimler en Sony zijn zo goed als voltooid: de moderne, hoge bouwwerken werden door de Berlijners direct in de armen gesloten. Er is een kleine stad ontstaan met winkels, restaurants, een hotel, een musicaltheater, een casino en bioscopen. *Mitte, U- en S-Bahn: Potsdamer Platz, bus 142, 248, 348*

Schlossplatz/ Lustgarten [99 D–E 3–4]

De voormalige Marx-Engels-Platz is een druk en met sombere gebouwen omringd plein. Op de plaats van het oude stadsslot, waarvan de ruïne in 1950 werd opgeblazen, bouwde het SED-regime in 1976 het Palast der Republik, met feestzalen, restaurants en de Volkskammer. De aanwezigheid van asbest maakt zijn toekomst ongewis.

Ertegenover staat aan de Lustgarten het *Alte Museum* (1823–1829, Schinkel). Het classicistische gebouw herbergt een verzameling oudheden. Voor het gebouw staat een kolossale granieten schaal, met een doorsnede van 6,90 m en een gewicht van 76 ton. De door steenhouwer Cantian uit een zwerfsteen gehouwen schaal is een ontwerp van Schinkel. De door Schinkel opnieuw vormgegeven groenvoorzieningen van de lusthof – sinds 1646 de botanische tuin en ook moestuin van de Grote Keurvorst – zijn in ere hersteld.

Aan de zuidkant van de Schlossplatz staat het gebouw van de voormalige DDR-Staatsrat. In de gevel is portaal IV van het afgebroken stadsslot opgenomen, omdat Karl Liebknecht daar op 9 november 1918 de socialistische republiek uitriep.

Aan de overkant staat de neobarokke *Neue Marstall* (1896–1902), waarin een bibliotheek en tentoonstellingsruimten zijn ondergebracht. Daarnaast vindt u in de Breite Strasse de *Alte Marstall* uit 1670 en het *Ribbeck-Haus* uit 1624. *Mitte, S-Bahn: Hackescher Markt, U-Bahn: Hausvogteiplatz*

TUINEN, PARKEN EN KASTELEN

Botanischer Garten [0] Tip

🏃 De botanische tuin, aangelegd rond 1900, is met zo'n 18.000 plantensoorten een van de indrukwekkendste ter wereld. In het midden staat het Tropenhaus. In het Victoria-Amazonica-Haus groeit de *Victoria amazonica*, met bladeren die een kind kunnen dragen. De cactuskassen zijn een aanrader. *9.00 uur tot zonsondergang, museum dag. 10.00– 18.00 uur, Dahlem, ingang Unter den Eichen en Königin-Luise-Strasse, S-Bahn: Botanischer Garten, U-Bahn: Dahlem-Dorf, bus 183, 101, 148*

Glienicker Park met Schloss Klein-Glienicke en Jagdschloss Glienicke [0]

★ Een van de mooiste parken van Berlijn. Van hieruit kunt u over de Havel naar Potsdam en Babelsberg kijken, waar vele mooie koningspaleizen staan. Voordat het landgoed Klein-Glienicke een slot werd, woonde minister Hardenberg erin. Hij gaf P.J. Lenné in 1816 de opdracht de tuin opnieuw in te richten. Na de dood van Hardenberg onderhield prins Carl van Pruisen de tuin verder. De prins was echter een groot Italië-liefhebber en liet daarom door K.E. Schinkel en diens leerlingen Persius en Von Arnim een landschap naar zijn smaak ontwerpen. Overal waar het uitzicht de moeite waard is, staan daarom Italiaanse paviljoens, pergola's, fonteinen, poorten en ronde banken: een Pruisisch Arcadië.

Aan de overkant van de Königstrasse staat het *jachtslot* dat in 1683 voor de Grote Keurvorst werd gebouwd. Het kreeg vele functies: in 1712 werd het lazaret, in 1760 tapijtfabriek, in 1827 weeshuis. F. von Arnim gaf het in 1859 door prins Carl verworven slot zijn barokke uiterlijk. Samen met de parken van Babelsberg en de Neue Garten in Potsdam is dit het grootste parklandschap in Europa. *Wannsee, Königstrasse, S-Bahn: Wannsee, verder met bus 116*

Jagdschloss Grunewald [0]

Romantisch renaissancekasteeltje, dat de Brandenburgse keurvorst Joachim II in 1542 liet bouwen. Rond 1700 werd het door Martin Grünberg vergroot en kreeg het een barok uiterlijk. In de zalen hangen veel schilderijen van oude Duitse,

Hollandse en Vlaamse meesters, bijvoorbeeld Lucas Cranach de Oudere en Peter Paul Rubens. In het Jagdzeugmagazin, gebouwd in opdracht van Frederik de Grote, zijn fraaie jachtwapens, geweien en jachttaferelen te zien. *Half mei–half okt. di–zo 10.00–13.00 en 13.30–17.00 uur, verder alleen za–zo 10.00–13.00 en 13.30–16.00 uur, Grunewald, Am Grunewaldsee, bus 111, 115, 183*

Pfaueninsel [0]

★ Dit kleine eiland in de Havel heeft iets sprookjesachtigs en geheimzinnigs. Het is sinds de 17de eeuw verbonden met legenden, toen de alchemist Johannes Kunkel hier vergeefs probeerde goud te maken en het robijnglas uitvond.

Een eeuw later raakte Frederik Willem II, wanneer hij bootreisjes maakte vanuit Potsdam, in de ban van het 76 ha grote eiland, dat al gauw ingrijpend zou veranderen. De vorst wilde namelijk zijn geliefde, die hij gravin van Lichtenau had gemaakt, waardig huisvesten en had een origineel idee: een wit slot in de stijl van een vervallen Romeins landhuis, dat als een toneeldecor aan het water staat. Andere, even romantische gebouwen zoals het *Kavaliershaus* (1803–1824) met de uit Danzig afkomstige façade, het *Schweizerhaus* (1829–1830, Schinkel), de *Fregattenschuppen* (1833, Schadow) en de *Meierei* kwamen er in de loop der jaren bij, want ook troonopvolger Frederik Willem III en zijn vrouw Luise hielden van sentiment. Ze richtten ook een menagerie op, met daarin naast beren, apen en kangoeroes ook pauwen, en pauwen zijn er nog steeds. Daar komt de naam van het eiland vandaan; vroeger heette het

Een beeld van koningin Luise op het Pfaueninsel

Kaninchenwerder. Het mooist is echter het park met zijn fonteinen, vijvers, standbeelden en volière. Bij de vormgeving waren veel tuinarchitecten betrokken, onder wie Eyserbeck, Fintelmann en Lenné. Vanaf de aanlegsteiger van de veerboot loopt een weg naar de kerk en het restaurant Nikolskoe. *Wannsee, Pfaueninselchaussee, tel. 8053042, bus A16, 316 (kasteel 's winters gesloten)*

Schloss Bellevue [108–109 C–D3]
In 1785 voor August Ferdinand van Pruisen aan de rand van Tiergarten door Philipp Boumann gebouwd. In de Tweede Wereldoorlog werd het in classicistische stijl gebouwde slot verwoest. Het werd in de jaren vijftig herbouwd en is sindsdien de zetel van de bondspresident. Ten zuidoosten van het slot gaat achter een zwarte, granieten façade de nieuwe residentie van de bondspresident schuil. *Tiergarten, Spreeweg, S-Bahn: Bellevue*

Schloss Charlottenburg [106–107 C–D2]
★ De slottuin van Charlottenburg, die circa 300 jaar geleden werd aangelegd, is de oudste bewaard gebleven tuin in Berlijn. Keurvorstin Sophie Charlotte had de Parijse hovenier Siméon Godeau de opdracht gegeven een Franse baroktuin aan te leggen. Later werd deze door J.A. Eyserbeck en P.J. Lenné veranderd. Achter de klassieke Franse tuin strekt zich een groot, oorspronkelijk in Engelse stijl aangelegd park uit tot aan de Spree. Daar staat ook het mausoleum van de jonggestorven koningin Luise. Aan het slot werd gedurende vele jaren door verschillende architecten gebouwd: Nehring (1695–1698), Eosander von Göthe (1701–1713), Knobelsdorff (1740–1746), Langhans (1788–1790) en uiteindelijk Boumann (1790). Enkele vertrekken van het paleis, zoals de woonruimten van Frederik II, kunt u tijdens een rondleiding bezichtigen. *Di–zo 10.00– 17.00, park dag. 6.00– 21.00 uur, Charlottenburg, Spandauer Damm, U-bahn: Richard-Wagner-Platz, S-bahn: Westend, bus X21, 109, 145, 209, 210*

Tiergarten [108–109 B–F 3–4]
🏃 Het populairste en grootste park van de stad. Oorspronkelijk was het een bos, waarin de landsheren uit de 16de en 17de eeuw op herten, wilde zwijnen en hazen jaagden. Onder Frederik II mocht het volk voor het eerst in het langzaam maar zeker vorm krijgende park wandelen. P.J. Lenné begon in 1833 met de uiteindelijke vormgeving en schiep veel kleine waterpartijen, meertjes, open plekken, weiden en een 25 km lang wegennet. Na de oorlog was het oude bomenbestand bijna helemaal verdwenen: de Berlijners hadden dringend behoefte aan brandhout, maar ook aan groente, die op de open plekken werd verbouwd. De vele monumenten in de Tiergarten werden in de keizertijd opgericht. De

35.000 kg wegende Victoria op de Siegessäule ('Goldelse' genoemd) staat sinds 1939 op de huidige plaats bij Grossen Stern. *Tiergarten, Strasse des 17. Juni, U-Bahn: Hansaplatz, S-Bahn: Tiergarten*

Treptower Park [O]

🏃 Geliefd doel voor een uitstapje aan de oever van de Spree. Het park biedt niet alleen veel natuur, maar ook het monumentale Sovjet-gedenkteken voor de 22.000 Russische soldaten die in de slag om Berlijn (1945) zijn gesneuveld. In het park ligt bovendien de *Archenholdsterrenwacht*. Deze werd in 1909 gebouwd en is toegankelijk voor publiek. *Wo–zo 14.00–16.30, rondleidingen: do 20.00, za–zo 15.00 uur, Treptow, Puschkinallee, tel. 5348080, S-Bahn: Treptower Park, Plänterwald*

Trümmerberge

🏃 Berlijn is een van de Duitse steden die in de Tweede Wereldoorlog het zwaarst zijn beschadigd. Er moest naar schatting zo'n 70 miljoen m³ puin worden opgeruimd. Het stadsbestuur vroeg zich af wat er met al dat puin moest gebeuren en men besloot om van de nood een deugd te maken; tussen 1946 en 1951 werd 1,8 miljoen m³ puin in het zuiden van het stadsdeel Schöneberg tot een 75 m hoge berg opgehoopt, die 'Insulaner' werd gedoopt [O]. Er groeiden bomen en gras op de berg en zo ontstond een park. Op de top staat sinds 1963 de *Wilhelm Förster-sterrenwacht* en aan de voet van de berg het *planetarium. Steglitz, Munsterdamm, S-Bahn: Priesterweg.* De tweede Trümmerberg (berg van puin) werd in Grunewald aangelegd en vanwe-

ge de nabijheid van de Teufelssee Teufelsberg genoemd [O]. Van 1950 tot 1968 werd er 21 miljoen m³ puin bijeengebracht, een hoop van 120 m hoog. Tijdens de jaarwisseling is dit een geliefde ontmoetingsplaats.

Viktoria-Park [115 F4]

🏃 De Kreuzberg in het gelijknamige stadsdeel is met zijn 66 m de hoogste natuurlijke 'berg' in Berlijn. Op de hellingen van het Viktoriapark wordt tot op heden wijn verbouwd, die in de 18de eeuw zelfs aan het hof werd gedronken. Maar de Kreuzberg was ook van strategisch belang: in 1813 bouwde men daar de verschansingen om zich tegen de troepen van Napoleon te verdedigen. Op de top staat een monument ter herinnering aan de vrijheidsoorlogen van 1813–1815 van de hand van Schinkel. Opmerkelijk is de waterval: een natuurgetrouwe, hoewel enigszins verkleinde kopie van de Zackel-waterval in het Reuzengebergte. *Kreuzberg, Kreuzbergstrasse, U-Bahn: Mehringdamm*

Zoologische Gärten

🏃 Aan de jarenlange deling van de stad heeft Berlijn twee dierentuinen te danken.

De oudste [97 E–F 3–4] ligt in het westen en werd in 1841 gesticht. Daarmee was het de eerste dierentuin in Duitsland. Van de 4000 zoogdieren en vogels, verdeeld over liefst 1400 soorten, overleefden slechts 91 dieren de Tweede Wereldoorlog. Sindsdien groeide het bestand van de soortenrijkste dierentuin ter wereld naar bijna 11.000 dieren. De beroemdste bewoner, de Chinese reuzenpanda

Bao-Bao, is naar Londen verhuisd. U kunt ook het aquarium (met een insectarium en terrarium) bekijken – een van de mooiste in Europa. *Dag. 9.00–18.30 uur, in de winter tot 17.00 uur, Charlottenburg, Budapester Strasse, U- en S-Bahn: Zoologischer Garten*

De tweede dierentuin [O] van de stad werd in 1955 in Friedrichsfelde op het terrein van de door Lenné ontworpen, barokke slottuin aangelegd. Er zijn zo'n 5000 dieren, verdeeld over 900 soorten. Na langdurige restauratiewerkzaamheden kunt u ook het barokke slot uit 1690 weer bezoeken. *Dag. 9.00– zonsondergang, slot: di–zo 10.00– 17.00 uur, Lichtenberg, Strasse am Tierpark, U-Bahn: Tierpark, S-Bahn: Friedrichsfelde*

WIJKEN

Charlottenburger Kiez [106–107 C–D3]

De wijk ten zuiden van het slot Charlottenburg, tussen de Sophie-Charlotten-Strasse en de Wilmersdorfer Strasse, was de buurt van de in Berlijn populaire kunstenaar Heinrich Zille. In het huis aan de Sophie-Charlotten-Strasse 88, hoek Seelingstrasse, woonde 'Pinsel Heinrich' van 1892 tot zijn dood in 1929. Met camera en schetsboek registreerde hij op onovertroffen wijze de ellende van de arme mensen. De Kiez overleefde de Tweede Wereldoorlog tamelijk ongeschonden, maar het duurde lang voordat de wijk werd gesaneerd. Op de binnenplaatsen achter de fraaie gevels vindt u ook nu nog ambachtelijke bedrijfjes. Verder zijn er cafeetjes met internationale keukens. De Luisenkirche aan de Gierckeplatz is

het bekijken waard. De toren uit 1821 verraadt de hand van Schinkel. *Charlottenburg, U-Bahn: Bismarckstrasse*

Hansa-Viertel [97 F1–2]

Aan de rand van de Tiergarten, op een in de oorlog platgebombardeerd terrein, kon de crème de la crème van de architectenwereld voor de internationale bouwtentoonstelling van 1957 zijn ideeën over het moderne wonen verwezenlijken. Hier staan geen sombere woonkolossen zoals in het Märkische Viertel, maar een aangename mengeling van laag- en hoogbouw, allemaal gebouwd tussen de Strasse des 17. Juni en de S-Bahn. *Tiergarten, U-Bahn: Hansaplatz*

Kreuzberg [116–117 C–D 2–3]

🏃 Door de sloop van de Muur kwam de wijk van de 'Szene' in het midden van de stad terecht. Als u

De Wasserklops op de Breitscheidplatz in Charlottenburg

Blijven bewegen!

Voor iedereen die tijdens zijn verblijf in Berlijn in vorm wil blijven

Wie na uitgebreid café- of restaurantbezoek een uurtje wil sporten, moet naar Kreuzberg gaan. Daar staan de fitnessapparaten van *24-Hour-Fitness* in het Karstadt-gebouw dag en nacht voor u klaar *(Hermannplatz 10, tel. 69807990, U-Bahn: Hermannplatz)*. Iedere woensdag om 18.00 uur vindt de hardloopsessie van L.C. Marathonia plaats – startpunt is de parkeerplaats van het Mommsenstadion *(Waldschulallee, S-Bahn Eichkamp)*. Sportclub SCC Berlin verzorgt viermaal per week een hardloop-rondleiding door Berlijn, op di, do, za en zo; om 7.45 uur vanaf de Siegessäule, om 8.00 uur vanaf de Brandenburger Tor *(tel. 3025370)*.

TIP

van de Baerwaldstrasse via de grasvelden aan de Urbanhafen over de Planufer en de Maybachufer met de Turkse markt loopt, ergens het Landwehrkanal oversteekt en dan over de Paul-Lincke-Ufer en de Fraenkelufer door het Böcklerpark gaat, krijgt u een betere indruk van het echte Berlijn dan waar ook: oud en nieuw, vervallen en gerestaureerd, mooi en lelijk, Turkse snackbars en trendy kroegen. *U-Bahn: Prinzenstrasse*

Nikolaiviertel [99 E–F4]

Berlijn is ooit ontstaan rondom de oudste kerk van de stad, de 13de-eeuwse St.-Nikolai, tussen de Schlossplatz en de Mühlendamm, de Spree en het Rote Rathaus. Bijna alle 'oude' gebouwen in deze buurt zijn echter pas in de jaren tachtig gebouwd. Authentiek is er dus maar heel weinig, het is in feite een Disneyland-versie van Oud-Berlijn. Gereconstrueerd werden de stamkroeg van Heinrich Zille, *Zum Nussbaum* en de tot restaurant uitgebreide *Gerichtslaube*, waarvan

het origineel overigens sinds 1871 in het Babelsberger Schlosspark staat. De twee gebouwen stonden oorspronkelijk ergens anders, net als het monument voor de Drachentöter. Het *Knoblauch-Haus* uit 1764 is het enige historische woonhuis in de wijk. Vroeger woonde er een zijdefabrikant, nu is het een documentatiecentrum over de Berlijnse Verlichting. Maar de grootste attractie is het *Ephraim-Palais*. De bankier Veitel Ephraim, muntpachter van Frederik de Grote, liet het tussen 1761 en 1767 aan de Mühlendamm bouwen. In 1935 moest het wijken voor de toen verbrede Mühlendammbrücke en het werd pas in 1983 herbouwd, niet ver van de oorspronkelijke plaats. Binnen worden stadsgezichten op Berlijns porselein en Berlijnse schilderkunst – van Blechen tot Hofer – tentoongesteld. *Mitte, U-Bahn: Kloster-strasse/Alexanderplatz*

Prenzlauer Berg [105 E–F4]

🏃 Deze wijk is wat Kreuzberg ooit was. Op achterafplaatsjes vindt u diverse obscure kroegjes en in verlaten winkeltjes proberen kunstenaars de door hen gemiste kunststromingen 'in te halen'. De buurt rond de Kollwitzplatz en de Husemannstrasse is zeer bezienswaardig en hier zijn dan ook veel toeristen te vinden. Er zijn een paar mooie restaurants, een piepklein kappersmuseum en nostalgische buurtwinkeltjes. *U-Bahn: Rosa-Luxemburg-Platz, Senefelder Platz*

Spandauer Vorstadt [99 E2]

🏃 Dit is Berlijns levendigste en meest karakteristieke toeristische wijk, met ruim honderd cafés en restaurants en met een grote aantrekkingskracht op iedereen die van het stadse leven houdt. De wijk ligt ten noorden van de Spandauer Brücke, waarover men vanuit het

Galerie in de Sophie-Gips-Höfen in de Spandauer Vorstadt

oude Berlijn naar het 10 km verderop gelegen Spandau gaat. De Spandauer Vorstadt ontstond aan het eind van de 17de eeuw buiten de stadsmuren voor de Spandauer Tor, de tegenwoordige Hackescher Markt. Deze is genoemd naar de stadscommandant graaf Von Hacke, die rond 1750 het moerasland aldaar liet drooggleggen. Hij wordt begrensd door de Oranienburger Strasse en Dirksenstrasse in het zuiden en de Linienstrasse in het noorden; de 'Linie' was rond 1700 de met een omheining van palen gemarkeerde stadsgrens. Het oostelijke gedeelte van de Spandauer Vorstadt vlak bij de huidige Volksbühne wordt Scheunenviertel genoemd, omdat hier brandbaar materiaal in schuren voor de poorten van de stad werd opgeslagen. Later vestigden zich hier in goedkope wijken joden uit Oost-Europa. Geleidelijk breidde het joodse leven zich uit over de hele Spandauer Vorstadt, en dat is ook nu het geval. Dit is een van de levendigste wijken van Berlijn.

De ★ *Hackesche Höfe* met restaurants, bioscopen, theaters, variété, galeries en kunstnijverheid is het onbetwiste hoogtepunt van deze buurt. Maar ook de Sophie-Gips-Höfe, de Kunsthof en de Heckmann-Höfe zijn op vergelijkbare wijze opgezet. In de Oranienburger Strasse met zijn restaurants en bars, de Neue Synagoge en het kunstcentrum Tacheles is de dag om middernacht nog lang niet ten einde. Prostituees dingen hier naar de gunsten van de klant. Iets rustiger gaat het toe in de Sophienstrasse met zijn barokke kerk, de Tucholsky Strasse en de Auguststrasse. Maar ook hier valt genoeg te beleven. *S-Bahn: Hackescher Markt*

Kunst, oudheden en techniek

De indrukwekkende museumschatten van Berlijn worden weer een eenheid en Nefertete zal nog één keer moeten verhuizen.

De museumschatten van Berlijn zijn in de Tweede Wereldoorlog en de jaren daarna maar voor een deel verloren gegaan. Weliswaar verbrandden na de verovering van de stad door een onopgehelderde oorzaak ongeveer 400 waardevolle schilderijen in een luchtafweerbunker, maar heel veel werd zorgvuldig beschermd en ten dele in mijnen en op andere veilige plaatsen ondergebracht. Afhankelijk van waar de stukken zich aan het eind van de oorlog bevonden, kwamen ze deels in West- en deels in Oost-Berlijn terecht. Daardoor werden verzamelingen uit elkaar gescheurd. Samenwerking tussen Oost en West was er nauwelijks. Zo hing het *Eisenwalzwerk* van Adolph von Menzel in de Nationalgalerie (Ost) en zijn *Flötenkonzert* in de Nationalgalerie (West) en kon men van Botticelli's illustraties bij Dantes *Goddelijke komedie* de *Hel* in het westen en het *Paradijs* in het oosten bekijken. In West-Berlijn werden de grote kunstverzamelingen als staatsmusea voor Preussischer Kulturbesitz verenigd. De belangrijkste musea

Koningin Nefertete verblijft sinds 1920 in het Ägyptisches Museum

Een van de musea in Dahlem

waren die van Dahlem, het Kulturforum in de Tiergarten en Charlottenburg. Na de hereniging zijn daar nog bijgekomen de musea op het Museuminsel (museumeiland) in het district Mitte – de eigenlijke geboorteplaats van de staatsmusea van Berlijn – met Schinkels Alte Museum uit 1830, het Neue Museum, de Nationalgalerie, het Bode-Museum, het Pergamon-Museum en de Friedrich-Werdersche Kirche. Het Museuminsel is zelf ook een belangrijk architectonisch ensemble, dat in 1999 op de Werelderfgoedlijst van de Unesco kwam. Ieder gebouw hier vertegenwoordigt een andere generatie en andere concepten. Schinkel, Stüler, Strack, Ihne, Hoffmann, Messel, dat is de lijst van prominente architecten die hier zijn vertegenwoordigd. Door de samenvoeging van de musea in Oost en West kunnen de collecties van de Stiftung Preussischer Kulturbesitz opnieuw ingedeeld worden. Volgens de ideeën van de directeur van de stichting moet het stadscentrum met het Museuminsel en omgeving omgebouwd worden tot een cultuur- en educatielandschap. Later zal ook het Ethnologische Museum hier gevestigd worden, ofwel in het Stadtschloss dat op de Schlossplatz opnieuw zal verrijzen of in een gloednieuw gebouw. Men overweegt zelfs om de Gemäldegalerie in een later stadium te verhuizen.

Nu bevinden zich op het Museuminsel de oudheidkundige verzameling, het Vorderasiatisches Museum, het Museum für Islamische Kunst, het Muntenkabinet alsook 19de-eeuwse schilder- en beeldhouwkunst. In Charlottenburg zijn het Museum für Vor- und Frühgeschichte en de Sammlung Berggruen in de westelijke Stüler-vleugel ondergebracht. En in de oostelijke Stüler-vleugel, tegenover Slot Charlottenburg, bevindt zich het Ägyptisches Museum, dat in 2005/2006 naar het Museuminsel verhuist.

Op het Kulturforum zijn nu de Neue Nationalgalerie, de Gemäldegalerie, het Kupferstichkabinett, de Kunstbibliotheek en het Musikinstrumenten-Museum gesitueerd. In Dahlem blijven de volkenkundige collecties en – na de verbouwing – het Museum für Indische Kunst en het Museum für Ostasiatische Kunst. Na de hereniging van Berlijn zijn ook de stadshistorische musea opnieuw ingedeeld. Er zijn in totaal circa 180 musea in Berlijn.

In de musea van de Stiftung Preussischer Kulturbesitz is op de eerste zondag van de maand de toegang gratis, speciale tentoonstellingen uitgezonderd. Toegang 2 euro, met korting 1 euro, dagkaarten voor alle musea van de stichting 4 euro, met korting 2 euro. Evenementen, rondleidingen, 'Lange Nacht der Museen', Schauplatz Museum: Museumspädagogischer Dienst: tel. 28397444, www.smpk.de

Ägyptisches Museum en Papyrussammlung [106 C3]

★ De mooiste vrouw ter wereld resideert sinds 1920 in Berlijn: koningin Nefertete, een creatie van een onbekende meester uit 1340 v.C. die in 1912 werd opgegraven door Ludwig Borchardt. Miljoenen bezoekers hebben haar sindsdien bewonderd. Ook koningin Teja is het bekijken waard. Haar ebbenhouten hoofdje (1360 v.C.) is maar 9,5 cm hoog, maar volmaakt van vorm. Vermeldenswaard zijn verder de Kalabsha-poort, een echte mummie, papyruscollecties en een zuilengalerij uit de dodentempel van koning Sahu-Re. *Di–vr 10.00–18.00, za, zo 11.00–18.00 uur, Charlottenburg, Schlossstrasse 70, bus X21, X26, 109, 110, 145*

Bauhaus-Archiv Museum für Gestaltung [109 D5]

De stichter van het Bauhaus, Walter Gropius, ontwierp het museum in 1964. Er wordt werk getoond uit alle disciplines van het Bauhaus (Weimar–Dessau–Berlijn 1919–1933): veel architectuurmodellen (Gropius, Meyer, Van der Rohe), meubels (Breuer), schilderijen (Kandinsky, Klee, Feininger), keramiek, metaal- en textielnijverheid. *Wo–ma 10.00–17.00 uur, Tiergarten, Klingelhöferstrasse 14, U-Bahn: Nollendorfplatz, bus 100, 129, 187, 341*

Marco Polo-aanraders
Musea

★ **Ägyptisches Museum**
De 3330 jaar oude Nefertete is de mooiste vrouw van Berlijn (bladzijde 36)

★ **Deutsches Technikmuseum**
Een museum om van alles uit te proberen op het gebied van techniek (bladzijde 38)

★ **Gemäldegalerie**
Indrukwekkende nieuwbouw met een collectie die gezien mag worden in Europa (bladzijde 41)

★ **Haus am Checkpoint Charlie**
Inwoners van de DDR ondernamen zeer inventieve vluchtpogingen (bladzijde 39)

★ **Sammlung Berggruen**
Met Picasso en andere beroemde contemporaine schilders (bladzijde 40)

★ **Museum für Naturkunde**
Verbaast u zich over het 12 m hoge, echte skelet van de *Brachiosaurus brancai* (bladzijde 40)

★ **Ethnologisches Museum**
De boten uit de Stille Zuidzee zijn leuk voor kinderen (bladzijde 42)

★ **Pergamon-Museum**
Voor het Pergamon-altaar, dat aan de godin Athene was gewijd, kunt u uren staan kijken (bladzijde 43)

Bröhan-Museum [106 C3]
Liefhebbers van Jugendstil en art deco kunnen hier hun hart ophalen. De aan de deelstaat Berlijn geschonken privé-collectie van Karl H. Bröhan omvat meubelstukken, schilderijen (Berliner Sezession), porselein, glaswerk, keramiek en metaal uit het begin van de 20ste eeuw. Topstukken: de vazen van Emile Gallé, de meubels van Hector Guimard en Louis Majorelle en de metalen objecten van Henry van de Velde. *Di–zo 10.00– 18.00 uur, Charlottenburg, Schlossstrasse 1a, U-Bahn: Sophie-Charlotte-Platz, bus X21, 109, 145, 210*

Brücke-Museum [0]
Een bezoek aan het museum is heel goed met een boswandeling te combineren, het staat namelijk aan de rand van het Grunewald. Hier is werk van de in 1905 in Dresden opgerichte kunstenaarsgroep Die Brücke te bezichtigen en bovendien de gehele artistieke nalatenschap van Karl Schmidt-Rottluff. *Wo–ma 11.00–17.00 uur, Dahlem, Bussardsteig 9, bus 115*

Deutsches Historisches Museum [99 D3]
In het Zeughaus is een tentoonstelling over de Duitse geschiedenis te zien, maar er zijn ook wisselende exposities. I.M. Pei ontwierp de nieuwe vleugel. *Vr–di 10.00– 18.00 uur, wo gesloten, do 10.00– 22.00 uur, Unter den Linden 2 en 3, bus 100, 157, 348*

'Rosinenbomber' in het Deutsches Technikmuseum

Deutsches Technikmuseum Berlin [115 F2]

★ ✈ Van de loopfiets van Freiherr Von Drais (de complete collectie omvat 300 fietsen) via boerenkarren, motorfietsen, automobielen en locomotieven tot heteluchtballons en vliegtuigen. Er is een historische fabriekshal nagebouwd, waarin een zuigerstoommachine staat, die diverse metaalverwerkende machines aandrijft. Boeiend zowel voor kinderen als voor volwassenen is het proefgedeelte 'Spektrum'. *Di–zo 10.00– 17.30 uur, Kreuzberg, Trebinerstrasse 9, Oldtimer-Depot: Möckernstrasse 26, U-Bahn: Gleisdreieck of Möckernbrücke*

Gedenkstätte Deutscher Widerstand [109 D5]

Het Bendler-Block, dat uit de keizertijd stamt, was tussen 1918 en 1935 zetel van het Reichswehrministerium en daarna tot 1945 van het Oberkommando der Wehrmacht, des Heeres und der Marine en is nu de zetel van het ministerie van Defensie. Na de mislukte aanslag op Adolf Hitler op 20 juli 1944 werden op de binnenplaats nog diezelfde nacht de officieren Olbricht, graaf Schenk von Stauffenberg, Mertz von Quirnheim en Von Haeften gefusilleerd. De permanente tentoonstelling documenteert het verzet tegen het nazi-regime. *Ma, wo, vr 9.00–18.00, do 9.00–20.00, za en zo 10.00–18.00 uur; Tiergarten, Stauffenbergstrasse 13–14, U-Bahn: Kurfürstenstrasse, bus 129*

Gedenkstätte Haus der Wannseekonferenz [0]

In deze villa aan de Wannsee besloten afgevaardigden van de SS en nazi-regering tot de zogenaamde 'Endlösung', de vernietiging van de joden. Er is een expositie te zien over de vervolging van en moord op de joden. Tevens bibliotheek, mediatheek, geluidsband- en filmarchief. *Ma–vr 10.00–18.00 uur, za en zo 14.00–18.00 uur, Zehlendorf, Am Grossen Wannsee 56–58, S-Bahn: Wannsee, bus 114*

Gedenkstätte Plötzensee [101 F3]

Ook de gedenkplaats Plötzensee herinnert aan de slachtoffers van de nazi-dictatuur. Hier werden ongeveer 2500 onschuldige mensen terechtgesteld. *Dag. 8.30–18.00 uur, Charlottenburg, Hüttigpfad, S-Bahn: Beusselstrasse, bus 123, 126*

Hamburger Bahnhof, Museum für Gegenwart – Berlin [109 E1]

Het in 1846–1847 gebouwde en gerestaureerde voormalige station doet nu dienst als expositieruimte voor de Erich Marx-verzameling – Beuys, Rauschenberg, Warhol, Twombly, Lichtenstein, Kienholz, Baselitz en anderen – en voor de contemporaine kunst uit de Nationalgalerie, het Kupferstichkabinett, het Kunstgewerbemuseum en de Kunstbibliothek. *Di, wo, vr 10.00–18.00, do 10.00–22.00, za, zo 11.00–18.00 uur, Tiergarten, Invalidenstrasse 50/51, S-Bahn: Lehrter Stadtbahnhof, bus 245, 248, 340*

Haus am Checkpoint Charlie [Mauermuseum] [98 C6]

★ ⚹ Het na de bouw van de Muur op 13 augustus 1961 gestichte kleine museum documenteert 29 jaar leven en sterven met de Muur en de vredesbeweging. Ook zijn hier uiteenlopende middelen te zien die de mensen voor hun vlucht gebruikten. *Dag. 11.00–18.00 uur, Kreuzberg, Friedrichstrasse 44, U-Bahn: Kochstrasse, bus 129*

Jüdisches Museum [110 B6]

In 1990 besloot de senaat van Berlijn het ongebruikelijke ontwerp van architect Daniel Libeskind te verwerkelijken. Het nieuwe gebouw ziet eruit als een stenen bliksemschicht en is verbonden met het voormalige Berlin-Museum, dat in 1734–1735 als stedelijke rechtbank gebouwd werd. In dit in 2001

Gips en porselein

Originele souvenirs voor liefhebbers van kunst en kunstnijverheid

In de gipsgieterij Berlin maakt men sinds 1819 kopieën van beroemde kunstwerken van de afgelopen 5000 jaar. In de loop der jaren zijn hier maar liefst 6000 mallen van beelden, reliëfs en medaillons gemaakt. De kopieën zijn te koop *(ma–vr 9.00–16.00, wo 9.00–18.00 uur, Charlottenburg, Sophie-Charlotten-Strasse 17/18, S-Bahn: Westend)*. De in 1763 gestichte Königliche Porzellan-Manufaktur (KPM) is nog ouder. Hier kunt u terecht voor historisch en modern servies, vazen en beeldjes *(Tiergarten, Wegelystrasse 1, S-Bahn: Tiergarten)*.

geopende museum wordt 2000 jaar joods-Duitse geschiedenis belicht aan de hand van multimediavoorstellingen, documenten en kunstwerken. *Dag. 10.00–20.00 uur, Kreuzberg, Lindenstrasse 9–14, U-Bahn: Hallesches Tor, Kochstrasse*

Käthe-Kollwitz-Museum [108 A6]

Het museum is ondergebracht in het in 1871 gebouwde, oudste woonhuis in de Fasanenstrasse. Het huis hoorde bij het Wintergarten-Ensemble. Hier wordt de zo goed als complete collectie getoond van de galeriehouder en verzamelaar Hans Pels-Leusden, wiens galerie gehuisvest is in de naburige Villa Griesebach. Ook daar worden altijd interessante tentoonstellingen gehouden. *Wo–ma 11.00–18.00 uur, Charlottenburg, Fasanenstrasse 24, U-Bahn: Kurfürstendamm*

Märkisches Museum [99 F5]

Het cultuurhistorisch museum van de stad en regio staat aan de oever van de Spree en ziet eruit als een grote kerk. Architect L. Hoffmann gebruikte verschillende stijlvormen tijdens de bouwperiode van 1901 tot 1907 en dat kwam tot uitdrukking in een romantische mengelmoes. Hier is de kunst- en cultuurgeschiedenis van Berlijn en de Mark Brandenburg te zien. Heel aardig is de tentoonstelling van fluitklokken, speeldozen en polyfone muziekautomaten. Alle automaten, inclusief een orkestrion, worden op zondag om 15.00 uur gedemonstreerd. Het museum maakt deel uit van de Stiftung Stadtmuseum Berlin. De collecties worden opnieuw ingedeeld. *Di–zo 10.00–18.00 uur, Mitte, Am Köllnischen Park 5, U-Bahn: Märkisches Museum*

Museum für Naturkunde [109 F1]

★ 🏃 In een periode van 280 jaar verzamelde dit museum maar liefst 60 miljoen voorwerpen, die natuurlijk niet allemaal te zien zijn. Uniek zijn de skeletten van dinosaurussen uit Oost-Afrika. Het beroemdst is het skelet van de *Brachiosaurus brancai* – het is 12 m hoog en 23 m lang en daarmee het grootste ter wereld. Direct daarnaast staat de versteende oervogel *Archaeopteryx lithographica*. Van belang is verder nog de collectie resten van planten en dieren uit de laatste 500 miljoen jaar alsmede de mineralenafdeling. *Di–zo 9.30–17.00 uur, Mitte, Invalidenstrasse 43, U-Bahn: Zinnowitzer Strasse, bus 157, 245, 340*

Museumsdorf Düppel [0]

🏃 Reconstructie van een middeleeuws Brandenburgs dorp, dat rond 1200 op deze plek lag. De velden en tuinen werden beplant met 'oude' planten en ook oude fruitsoorten werden opnieuw geteeld. Het dorp wordt bewoond door schapen, geiten, varkens en een os. Ook zijn er middeleeuwse ambachten te zien. *Eind maart–half okt. do 15.00–19.00 uur, zon- en feestdagen 10.00–17.00 uur, speciale openstelling: tel. 8026671, Zehlendorf, Clauertstrasse 11, bus 115, 211, 629*

Sammlung Berggruen [106 C3]

★ Kunsthandelaar Heinz Berggruen heeft zijn collectie schilderijen van Picasso, Klee en contemporaine schilders eerst aan de stad uitgeleend en later voor een symbolisch bedrag verkocht. De collectie wordt getoond in de Stüler-Bau tegenover Slot Charlottenburg. *Di–vr 10.00–*

18.00 uur, za en zo 11.00–18.00 uur, Charlottenburg, Schlossstrasse 1, U-Bahn: Sophie-Charlotte-Platz, bus X21, 109, 145, 210

Topografie des Terrors [110 A5]
Pas in 1986 begon men het zogenaamde Prinz-Albrecht-Gelände nauwkeurig te onderzoeken. Hier was in het voormalige paleis van prins Albrecht de macht van de Gestapo, SS en Reichssicherheitshauptamt geconcentreerd en hier werd de holocaust gepland. Tussen 1939 en 1945 werden hier prominente tegenstanders van het naziregime opgesloten en gefolterd. In een tentoonstellingsruimte en in de kelder van het belendende gebouw Prinz-Albrecht-Strasse 8 (zetel van de Gestapo) wordt u over de organisatie van de SS-staat geïnformeerd. *Di–zo 10.00–18.00 uur, Kreuzberg, ingang Niederkirchnerstrasse (naast de Martin-Gropius-Bau), U-Bahn: Kochstrasse, S-Bahn: Anhalter Bahnhof, U- en S-Bahn: Potsdamer Platz*

MUSEA OP HET KULTURFORUM

Gemäldegalerie
★ Dit museum vindt zijn oorsprong in de keurvorstelijke kunstcollecties. In 53 zalen worden zo'n 1400 schilderijen tentoongesteld en in de Studiengalerie nog eens 300: Duitse, Nederlandse en Italiaanse schilderkunst van de 13de tot de 16de eeuw en Franse en Engelse schilderkunst uit de 18de eeuw, op de eerste verdieping Vlaamse en Nederlandse 17de-eeuwse schilderkunst en Franse, Italiaanse en Spaanse schilderijen uit de 17de en 18de eeuw. Er is werk te zien van Brueghel, Canaletto, Cranach, Dürer, Holbein, Rembrandt, Rubens, Titiaan, Velázquez, Watteau. De collectie, die bestaat uit stukken van het Bode-Museum en de Dahlemer Gemäldegalerie, is in 1998 in de nieuwbouw ondergebracht.

Kunstgewerbemuseum
Het gebouw van Rolf Gutbrod is in architectonisch opzicht niet onomstreden. Het kostbaarste middeleeuwse object is onderdeel van de uit verschillende sacrale voorwerpen bestaande Welfenschatz; van groot historisch belang is het Lüneburgse raadszilver uit de Renaissance. Het museum heeft ook een Jugendstil-afdeling. *Di–vr 10.00–18.00, za en zo 11.00–18.00 uur*

Kupferstichkabinett
De Grote Keurvorst legde in 1652 de basis voor een van de belangrijkste grafische collecties ter wereld. De oorspronkelijk 2500 tekeningen voor de Brandenburgs-Pruisische hofbibliotheek groeiden uit tot een bestand van 25.000 tekeningen en 380.000 prenten – van de Middeleeuwen tot heden.

Musikinstrumentenmuseum
🏃 De collectie Europese muziekinstrumenten en muziekhistorische documenten van de 16de eeuw tot heden kreeg in 1984 een passend onderkomen naast de Philharmonie. U ziet hier onder meer de dwarsfluiten van de Pruisische koning Frederik II, een opklapbare reiscembalo uit het bezit van Sophie Charlotte van Pruisen, violen en fluitklokken. Topstuk van de collectie is het Wurlitzerorgel uit 1929, dat op zaterdag om 12.00 uur wordt bespeeld. *Di–vr 9.00–17.00,*

za en zo 10.00–17.00 uur, Tiergartenstrasse 1

Neue Nationalgalerie

Ook deze sinds 1861 voortdurend uitgebreide collectie schilderijen en plastieken uit de 19de en 20ste eeuw raakte na het einde van de oorlog over de twee stadshelften verdeeld. In West-Berlijn ontwierp Mies van der Rohe aan de rand van de Tiergarten een passend onderdak. Hier hangt kunst uit de 20ste eeuw: latere werken van Liebermann, Corinth en Slevogt, verder Beckmann, Munch, Hodler, Kokoschka, Klee, Feininger, veel Brücke-schilders, dadaïsten, surrealisten, kubisten, fauvisten, de Nieuwe Zakelijkheid.

Alle musea in het Kulturforum [109 E4–5] zijn geopend di, wo, vr 10.00–18.00, do 10.00–22.00, za en zo 11.00–18.00 uur (tenzij anders vermeld),Tiergarten, Matthäikirchplatz 8, U- en S-Bahn: Potsdamer Platz, bus 142, 148, 248, 348

Het museumgebouw in Berlijn-Dahlem werd door Bruno Paul tussen 1912 en 1926 gebouwd en in 1971 uitgebreid. Het herbergt verschillende afzonderlijke musea.

Ethnologisches Museum (Volkenkundig Museum)

★ ☀ Hier wordt de cultuurgeschiedenis van de volken van Amerika, Azië, Afrika, Australië en Europa (maar niet die van het Duitstalige gebied) in grote verscheidenheid tentoongesteld. De boten en huizen uit het gebied van de Stille Zuidzee zijn de moeite waard. Verder zijn hier maskers en plastieken uit Afrika, religieuze voorwerpen uit de Nazca- en Maya-cultuur, wajangpoppen uit Indië, Birma en Bali en een Chinese woonkamer te bezichtigen, alsmede twee tentoonstellingen over Noord-Amerikaanse indianen en Afrikaanse kunst en cultuur.

Het kunstwerk voor de Neue Nationalgalerie is van Alexander Calder

Museum für Indische en Museum für Ostasiatische Kunst

Beide musea zijn in 2001 heropend na een renovatie. De 400 Indiase kunstvoorwerpen geven een beeld van 4000 jaar Indiase geschiedenis. Het topstuk van de collectie is een boeddhistische tempel met authentieke wandschilderingen. De Oost-Aziatische kunst is onderverdeeld in de afdelingen China, Japan, Korea en Vietnam.

Alle musea in Dahlem [0] *zijn geopend di–vr 10.00–18.00 uur, za–zo 11.00–18.00 uur, ingang Lansstrasse 8, U-Bahn: Dahlem Dorf*

MUSEUMSINSEL

Altes Museum – Antikensammlung

De kunstwerken uit de Oudheid zijn weer bijeen op het Museuminsel. De collectie, met de zilverschat van Hildesheim en Griekse en Romeinse glazen en kunstwerken, is op de belangrijkste verdieping van Schinkels Alte Museum te zien.
Ingang bij de Lustgarten

Alte Nationalgalerie

Met de opening van dit museum, eind 2001, was de eerste stap naar een vernieuwd Museuminsel gezet. De collectie omvat 19de-eeuwse schilderijen en beeldhouwwerken uit Romantiek, Classicisme, Realisme, biedermeiertijd, Impressionisme. Ook de jonge expressionisten ontbreken niet: K.F. Schinkel, C.D. Friedrich, Blechen, Liebermann, Menzel en J.G. Schadow.

Bode-Museum

Het Bode-Museum wordt in 2005 heropend. Dan zullen volgens het concept van Bode schilderijen, beelden en meubels in hun historische samenhang te zien zijn. Ook Byzantijnse kunst en het belangrijkste muntenkabinet van Europa vindt u hier.

Neues Museum

Het gebouw, dat tijdens de Tweede Wereldoorlog beschadigd raakte, wordt met veel zorg hersteld. Vanaf 2006 is de Egyptische collectie, die nu in Charlottenburg wordt bewaard, hier te zien.

Pergamon-Museum

★ 🏃 Dit is een van de mooiste Berlijnse musea (1930). Het ontleent zijn naam aan het gereconstrueerde altaar van Pergamon – het pronkstuk van deze unieke oudheidkundige verzameling. Het Griekse marmeren altaar is gebouwd tussen 180 en 159 v.C. Vooral het 120 m lange fries, waarop goden en giganten elkaar bevechten, verdient de aandacht. Het altaar werd tussen 1878 en 1886 bij het huidige Bergamo opgegraven en in twintig jaar tijd in Berlijn gereconstrueerd. Indrukwekkend is de Marktpoort van Milete, die rond 130 n.C. werd gebouwd. Het Orpheus-mozaïek dateert van de tweede helft van de tweede eeuw. De antieke sculpturen en reliëfs behoren tot de belangrijkste in Europa.

Verder vindt u hier het *Museum für Islamische Kunst* met de gevel van het woestijnpaleis Mschatta en het *Vorderasiatische Museum* met de processiestraat van Babylon en de Isjtar-poort. *Ingang: Am Kupfergraben. Alle musea op het Museumsinsel* [99 D–E 2–3] *di–zo 10.00–18.00 uur, U- en S-Bahn: Friedrichstrasse, Hackescher Markt, bus 100, 157, 200, 348*

Niet alleen worst en gehaktballen

Berlijn is beroemd om zijn kroegcultuur – de Berlijners spreken graag af in een van de vele cafés van de stad of in een restaurant met exotische keuken

In de raadskelder ten tijde van de Grote Keurvorst, in de dans- en biljartzalen in het Pruisen van Frederik II, in de Konditoreien van Gianovoly en Josty, in de Weinstuben van Lutter & Wegener of Habel, in gezellige kroegjes of in trendy etablissementen – de Berlijners hebben elkaar altijd al bij een hapje en een glaasje ontmoet om over koetjes en kalfjes te praten, trouwens ook vaak in verborgen achterkamers om daar in het geheim verboden kranten te lezen. De kroegcultuur van Berlijn heeft een lange traditie en veel oude namen zijn gebleven, maar meestal niet op dezelfde locatie: Kempinski, Lutter & Wegener of Kranzler met 'bediening met zachte hand', zoals men bij de opening zei.

Nu gaat men naar Einstein of Florian, de Hamlet of naar de Letzte Instanz, en wat vroeger het Schwarze Ferkel heette, is nu het Schwarze Café – trefpunt van een merkwaardige bohème. Helaas zijn een vriendelijke bediening en een goede keuken geen vanzelfsprekendheden in Berlijn. Wel kan men bijna

VAU is een van de nieuwe toprestaurants die Berlijn rijk is

als stelregel aanhouden: hoe exotischer de keuken, des te vriendelijker de bediening.

Van de ongeveer 7000 Berlijnse restaurants zijn er alleen al zo'n duizend waar Italiaanse gerechten worden geserveerd. U zit er meestal plezierig en kunt er goed en goedkoop eten. Verder kunt u genieten van de keukens van bijna alle landen ter wereld, maar wel een beetje aangepast aan de Duitse smaak – bij de 600 Chinese restaurants krijgt u niet hetzelfde als in China.

Zo zijn er onder andere Arabische, Boheemse, Franse, Griekse, Thaise, Japanse, Russische, Spaanse en natuurlijk Turkse restaurants. De meeste zijn de moeite waard en sommige leveren zelfs toppprestaties. Zelfs de meest kritische eter vindt in Berlijn inmiddels een half dozijn restaurants van internationaal niveau.

Maar waaruit bestaat de Berlijnse keuken? De originele Berlijnse keuken is in ieder geval niet licht en staat onder Franse invloed, maar dan niet zozeer de invloed van Paul Bocuse als wel die van de hugenootse burgerpot en de veldkeukens van Napoleon: gehaktballen, hachee, ragout, koteletten, rollade, remouladesaus, fricassee, puree, tompoezen, petitfours en nog veel meer. De bekende Berlijnse Mucke-fuck ontleent zijn naam aan *mocca faux*: koffiesurrogaat. Typisch Berlijns zijn *Eisbein* met erwtenpuree, runderrollade, koolrolletjes met gehakt, wildragout, kippenfricassee, longhachee en natuurlijk gehaktballen, zeker ook *Griebenschmalz* en als toetje ten slotte compote.

UITSPANNINGEN

Alte Liebe [O]
Scheepsrestaurant met uitzicht over de Havel. Traditionele gerechten, royale porties, vis, heerlijke gebakken aardappels. *April–sept. di–zo 12.00–22.00, okt.–maart do en zo 12.00–19.00, vr en za 12.00–21.00 uur, Zehlendorf, Havelchaussee 107, tel. 3048258, bus A18*

Tip Alter Dorfkrug Lübars [O]
Dit is het laatste echte dorp binnen de stadsgrenzen van Berlijn. Sinds de Berlijners na de val van de Muur de keus hebben uit een groter aantal restaurants, is de keuken hier aanmerkelijk beter geworden. *Di–zo 11.30–23.00 uur, Lübars, Alt-Lübars 8, tel. 40208400, bus 222*

Blockhaus Nikolskoe [O]
Spreek uit: 'Nikólskoje', want het was een geschenk aan tsaar Nicolaas en diens gemalin, de dochter van Frederik Willem III. Een Russische datsja dus, met uitzicht over de Havel. De keuken en de bediening zijn beter dan voorheen. *Dag. behalve do 10.00–22.00 ('s winters 12.00–19.00) uur, Wannsee, Nikolskoer Weg 15, tel. 8052914, bus A16*

Brauhaus in Rixdorf [O]
Deftige villa uit de tijd rond het begin van de 20ste eeuw. Grote tuin, zelfgebrouwen bier. Leuke speeltuin. *Dag. 11.30 uur tot in de late uurtjes, zo vanaf 10.00 uur brunch met live muziek, Neukölln, Glasower Strasse 27, tel. 6268880, U- en S-Bahn: Hermannstrasse*

Capt'n Schillow [108 A4]
Een uitstapje midden in de stad: in de Tiergarten ligt in het Landwehrkanaal een restaurantboot voor anker. De scheepskok bereidt vissoep, labskous en nog meer lekkers. *Dag. 11.00–24.00 uur, Charlottenburg, Strasse des 17. Juni, bij de Charlottenburger Tor, tel. 31505015, S-Bahn: Tiergarten, U-Bahn: Ernst-Reuter-Platz*

Chalet Suisse [O]
U krijgt er raclette, *Bündner Fleisch* en Bernse rösti en afhankelijk van het seizoen ook asperges, zalm en paddestoelen. Gelegen aan het begin

De biertuin bij Gasthaus Zenner in Treptow trekt zeer veel gasten

MARCO POLO-aanraders
Eten en drinken

★ **Bar Centrale**
Goede bistro in de bioscoop
New York (bladzijde 47)

★ **Borchardt**
Prominente Berlijners spreken
hier af (bladzijde 53)

★ **Ana e Bruno**
Een Italiaans toprestaurant
(bladzijde 52)

★ **Kaiserstuben**
Werkelijk goed eten op het
Museuminsel (bladzijde 53)

★ **Ponte Vecchio**
Een Italiaan uit de top-
categorie en toch niet te
duur (bladzijde 53)

★ **Restauration 1900**
Trendy Prenzlbergs
restaurant (bladzijde 51)

★ **Pasticceria-Rosticceria**
De allerlekkerste taart van
heel Berlijn (bladzijde 52)

★ **Trio**
Onalledaags eten bij het duo
van Trio (bladzijde 53)

★ **Oren**
Vegetarisch, koosjer en altijd
druk (bladzijde 55)

★ **Café im Literaturhaus**
Veel sfeer in de mooiste
zijstraat van de Ku'damm
(bladzijde 52)

van het Grunewald, met een speeltuin, zodat ook ouders in alle rust
kunnen genieten van hun eten. *Dag.
11.30–24.00 uur, Grunewald, Clay-
allee 99, via een bospad tien minuten lopen, tel. 8326362, bus 115*

Remise [0]
...in het kasteel Klein-Glienicke.
Heerlijk om op het terras te zitten
maar ook binnen. Midden in het
prachtige Glienicker Park, vriendelijke service, geweldige keuken met
gepeperde prijzen. *Di–zo ('s winters), vanaf maart dag. 12.00–
22.00 uur, Wannsee, Königstrasse
36, tel. 8054000, bus 116*

Rübezahl [0]
◀▮▶ Waarschijnlijk de grootste bier-
tuin van Berlijn. Het uitzicht op de
Müggelsee en de vele wandelpaden

vergoeden de lopendebandkeuken
en zelfbediening. *Dag. 11.00–
23.00 uur, Köpenick, Am Grossen
Müggelsee, tel. 658820, bus 169*

BARS EN EETLOKALEN

Bar am Lützowplatz [108 C5] *Tip*
Het belangrijkste is de bar, die net
zo lang is als de gehele ruimte zelf.
De vele nachtelijke gasten komen
hier hun laatste afzakkertje halen.
Hoe later het tijdstip, hoe drukker.
*Dag. 15.00–3.00 uur, Tiergarten,
Lützowplatz 7, tel. 2626807, U-
Bahn: Nollendorfplatz*

Bar Centrale [116 A3]
★ Zit meestal vol, vooral na de
filmvoorstellingen in de aanpalende
bioscoop. Veel galeriehouders en
kunstenaars, ongedekte tafels voor

De eetpaleizen van Berlijn

Bamberger Reiter [97 D6]
Een elegant restaurant met soms zeer geraffineerde, altijd smakelijke gerechten, een beetje Duits, grote porties. Menu vanaf 70 euro, in *Restaurant à Côté* voordeliger. *Di–za vanaf 18.00 uur, Schöneberg, Regensburger Strasse 7, tel. 2184282, U-Bahn: Spichernstrasse*

First Floor in het Palace Hotel [97 E4]
Een veelbelovende jonge kok laat zien wat hij kan, en dat is heel wat. Hoofdgerecht vanaf 25, menu's vanaf 65 euro. *Zo–vr 12.00 tot 14.30 en 18.00–22.30, za 18.00 tot 22.30 uur, Charlottenburg, Budapester Strasse 45, Tel. 25021020, U- en S-Bahn: Zoologischer Garten*

Margaux [98 B3]
Het chicste restaurant van Berlijn is smaakvol, in moderne stijl ingericht met veel bladgoud. Veelgeprezen keuken en op de wijnkaart – met zo'n naam kan het ook haast niet anders – zo'n 900 wijnsoorten, waaronder Château Margaux uit dertig wijnjaren. Menu's 70/100 euro. *Ma–za 12.00–15.00 en vanaf 18.00 uur, Mitte, Unter den Linden 78, ingang Wilhelmstrasse, tel. 22652611, S-Bahn: Unter den Linden, U-Bahn: Französische Strasse*

Portalis [98 B4]
In de buurt van de Gendarmenmarkt ligt dit broertje van *Tantris* in München, waar het eten net zo lekker is. Creatieve nouvelle cuisine met Aziatische invloeden en Duitse perfectie. Menu's vanaf 60 euro. *Ma–vr 12.00–14.00 en ma–za 19.00–23.00 uur, Mitte, Kronenstrasse 55–58, tel. 20455496, U-Bahn: Stadtmitte*

Quadriga [97 D5]
Gastronomisch genieten in dit in Hotel *Brandenburger Hof* gevestigde restaurant. Perfecte, op ambachtelijke wijze bereide gerechten, aardige bediening en altijd een goed wijnadvies. Menu vanaf 50 euro. *Ma–vr vanaf 19.00 uur, Tiergarten, Eislebener Strasse 14, tel. 214050, U-Bahn: Augsburger Strasse*

VAU [98 B4]
Ingetogen en deftige inrichting, hoge kamers met veel ruimte, grote ramen, 's zomers tuinterras: alleen al het uiterlijk belooft veel. De klassieke, verfijnde keuken was van begin af aan een topper. Menu 65 tot 120 euro, lunch 45–75 euro. *Ma–za keuken 12.00–14.30 en 19.00–22.30 uur, Mitte, Jägerstrasse 54/55, tel. 2029730, U-Bahn: Stadtmitte*

Vivaldi [112 A5]
Het elegantste, meest luxueuze gastronomische restaurant van Berlijn, in het Ritz-Carlton-Schlosshotel. Hoofdgerecht vanaf 30 euro. In de mooie tuin kunt u koffie drinken. *Keuken ma–za 18.00–23.30 uur, Grunewald, Brahmsstrasse 10, tel. 89584520, S-Bahn: Grunewald, bus: 129*

de eenvoudige maaltijd, gedekte voor Italiaanse creaties en een lange bar voor cocktails. *Ma–do 12.00–2.00 uur, vr en za tot 3.00 uur, zo gesloten, Kreuzberg, Yorckstrasse 82, tel. 7862989, U-Bahn: Mehringdamm, bus 119, 219*

Chez Maurice [111 F1]

Dit was vroeger een wijnhandel, en zo ziet het er nog altijd uit. De eigenaar heeft een paar tafeltjes neergezet en er worden bistrogerechten geserveerd. Drukbezocht. *Di–vr 10.30–24.00, za–ma 18.00–24.00 uur, Prenzlauer Berg, Bötzowstrasse 29, tel. 42804723, bus 257*

Einstein [115 D1]

De villa van de oude filmster Henny Porten. Beneden een Weens koffiehuis, boven exposities. Veel journalisten en kunstenaars. Nonchalante keuken en bediening. *Dag. 10.00–2.00 uur, Tiergarten, Kurfürstenstrasse 58, tel. 2615096, U-Bahn: Kurfürstenstrasse en Nollendorfplatz*

Kellerrestaurant im Brechthaus [110 A1]

Pal naast het Dorotheenstädtischer Friedhof, waar Bertolt Brecht en Heiner Müller begraven liggen, wordt gekookt naar de Oud-Oostenrijkse recepten van Helene Weigel. Veel theatervolk. *Dag. vanaf 11.00, za vanaf 18.00 uur, district Mitte, Chausseestrasse 125, tel. 2823843, U-Bahn: Oranienburger Tor*

Metzer Eck [111 D1]

Een Oud-Berlijnse kroeg bij de Prenzlauer Berg, een trendy trefpunt voor oost en west. Hier komen tv-persoonlijkheden en sportmensen voor erwtensoep en biefstuk. Het is er altijd druk. *Ma–vr 16.00–1.00, za en zo 18.00–1.00 uur, Prenzlauer Berg, Metzer Strasse 33, tel. 4427656, U-Bahn: Senefelderplatz*

Oxymoron [110 C2]

Mooie en nostalgische inrichting met veel pluche. Erg 'in', ook al is de keuken matig. Elke tweede dins-

Oxymoron in de Rosenthaler Strasse

Berlijnse specialiteiten

Geniet van deze lekkere hapjes en drankjes

Berliner – de met jam gevulde en in olie gebakken bollen worden in Berlijn pannenkoeken genoemd.

Berliner Weisse – een pas gefermenteerd witbier dat in de fles verder gist. In de zomermaanden drinkt men dit bier uit grote glazen. Met 'Schuss' wil zeggen dat er frambozen- (rood) of bedstrosiroop (groen) is toegevoegd.

Bockwurst – deze worst is in 1830 uitgevonden door slager Bock in Berlijn. Hij wordt, net als het Weense worstje (een creatie van een Weense vakgenoot), in een fijn laagje gedroogde darm gehuld.

Bouletten – deze gehaktballetjes, die u in veel Berlijnse cafés en snackbars kunt krijgen, worden elders vaak 'Frikadellen' genoemd. Vaak kunt u ook 'Bouletten mit Brot' (gehakballetjes met brood) bestellen.

Currywurst – deze typisch Berlijnse lekkernij is in 1949 bedacht door Herta Heuwer, die een worstkraam dreef op de Stuttgarter Platz. Haar man was als krijgsgevangene in Amerikaanse handen gevallen en had daar voor het eerst spareribs met ketchup gegeten. In die tijd was vlees in Berlijn nogal schaars en daarom nam zij braadworsten, die ze bedolf onder een saus van ketchup, worcestersaus, paprikapoeder en kerrie.

Döner zijn van oorsprong niet typisch Berlijns, maar deze snack is in deze vorm wel in Berlijn uitgevonden. Het is Turks brood, gevuld met uien, salade en kleine reepjes lamsvlees, die van een grote spies afgesneden worden.

Hecht grün – de vele rivieren en meren bevatten veel vis. Een populair gerecht is snoek of paling met komkommersalade uit Spreewald.

Eisbein – een klassieker met zuurkool, erwtenpuree en aardappels. Het bot van de varkenspoot werd vroeger bewerkt tot schaats, vandaar de naam 'Eisbein'.

Kasseler Rippe – het gerookte varkensvlees heeft niets te maken met de stad Kassel, maar met een slager met deze naam.
Kasseler Rippe wordt traditioneel geserveerd met zuurkool en aardappelpuree ('Quetschkartoffeln').

Soleier – in pekel bewaarde hardgekookte eieren, die vooral in het café gretig aftrek vinden.

Teltower Rübchen – kleine, witte knolraap, een hartige groente voor de vroege zomer.

dag van de maand live operamuziek, 's nachts feesten in de Goldene Salon. *Dag. 12.00–3.00 uur, Mitte, Rosenthaler Strasse 40/41, tel. 28391885, S-Bahn: Hackescher Markt*

Paris–Moskau [109 D2]

🏃 Aan de spoorweg van Parijs naar Moskou ligt een seinhuisje, waar niemand een chic restaurant zou vermoeden. De prijzen zijn niet mals, maar het eten is goed en overvloedig, zodat u ook kleinere porties kunt bestellen. Terras. *Dag. 18.00–24.00 uur, Tiergarten, Alt-Moabit 141, tel. 3942081, S-Bahn: Lehrter Stadtbahnhof*

Restauration 1900 [105 D4]

⭐ Trendy Prenzelbergse kroeg in het gerenoveerde deel van de Husemannstrasse. Altijd vol, veel Wessis, soms een beetje te druk. Kleine menukaart, prima spaghetti. *Dag. vanaf 10.00 uur, open eind, Prenzlauer Berg, Husemannstrasse 1, tel. 4422494, U-Bahn: Senefelderplatz*

Rosalinde [107 F5]

Aangename kroeg voor studenten en aanstormende acteurs, ontbijt ook voor uitslapers, keuken uit het zuidwesten van Duitsland. *Dag. 9.00–2.00 uur ('s winters vanaf 10.00 uur), Charlottenburg, Knesebeckstrasse 16, tel. 3123793, U-Bahn: Ernst-Reuter-Platz*

Café Savarin [115 E3] ^{Tip}

Een kleine, drukke kroeg in een onopvallend zijstraatje. De groentepasteitjes, quiches en salades zijn nergens lekkerder. *Dag. 10.00–24.00 uur, Schöneberg, Kulmer Strasse 17, tel. 2163864, U- en S-Bahn: Yorckstrasse*

Terzo Mondo [107 F5]

Kastelein Kostas Papanastasiou, bekend van de tv-serie 'Lindenstrasse', wil 's avonds nog wel eens gitaarspelen. *Dag. vanaf 18.00 uur, Charlottenburg, Grolmannstrasse 28, tel. 8815261, U-Bahn: Uhlandstrasse, S-Bahn: Savignyplatz*

Zur Letzten Instanz [111 D3]

De naam verwijst naar de nabijheid van het gerechtshof; hier ging men drinken na een proces of een echtscheiding. Gesticht in 1621 als een brandewijnschuur. Napoleon, Michael Gorbatsjov, Charlie Chaplin gingen u voor. Hier eet u varkenspoot ('Eisbein') en drinkt u bier met een borrel ('Molle mit Korn'). *Dag. 12.00–1.00, zo tot 23.00 uur, Mitte, Waisenstrasse 14/16, tel. 2425528, U-Bahn: Klosterstrasse*

MARCO POLO, wereldreiziger

In de 13de eeuw ondernam de Venetiaanse koopman Marco Polo, naar wie deze serie reisgidsen is vernoemd, verscheidene wereldreizen. Zijn intrigerende reisverslagen betekenden voor de westerse wereld een kennismaking met onbekende landen, culturen en volken. De Marco Polo-serie wil een waardevolle metgezel zijn voor de reiziger van nu.

Tip

Barcomis

De New Yorkse Cynthia Barcomi schotelt de Berlijners zalm, muffins, brownies en andere Amerikaanse specialiteiten voor. In Kreuzberg [116 B4], *ma–za 9.00–24.00, zo 10.00–24.00 uur, Bergmannstrasse 21, tel. 6948138, U-Bahn: Gneisenaustrasse,* en in Mitte [99 E1] *ma–za 9.00–22.00 uur, zo 10.00–22.00 uur, Sophienstrasse 21, in de Sophie-Gips-Höfen, tel. 28598363, S-Bahn: Hackescher Markt, U-Bahn: Weinmeisterstrasse*

Café im Literaturhaus [96 C5]

★ In deze villa, die in de jaren tachtig met het belendende Kollwitz-Museum en de villa Griesebach is gerestaureerd, treft u een koffiehuis aan met op de kelderverdieping een boekhandel. Op minder dan 100 m van de Kurfürstendamm. *Dag. 9.30–1.00 uur, Charlottenburg, Fasanenstrasse 23, tel. 8825414, U-Bahn: Kurfürstendamm*

Café am Neuen See [97 F3]

Een biertuin zoals men die in München kent. Wie na het ontbijt een bootje huurt, heeft moeite te geloven dat hij zich midden in de metropool bevindt. *'s Winters zo 10.00–20.00, rest van het jaar dag. 10.00–23.00 uur, Tiergarten, Lichtensteinallee 2, tel. 2544930, S-Bahn: Tiergarten, U- en S-Bahn: Zoologischer Garten*

Konditorei Kammann [106 C4]

Authentiek jaren vijftig-etablissement. *Ma–za 6.00–18.30, zo 14.00–18.30 uur, Charlottenburg, Kaiserdamm 8, tel. 3223001, U-Bahn: Kaiserdamm*

In het Operncafé kunt u terecht van 8.00 uur tot middernacht

Operncafé [99 D3]

Een van de betere cafés, gelegen in het Prinzessinnenpalais en onderdeel van een keten van Weense koffiehuizen. De taart en het gebak hier zijn moeilijk te weerstaan. *Dag. 8.00–24.00 uur (café), 12.00–24.00 uur (restaurant), vr en za vanaf 20.00 uur live muziek, Mitte, Unter den Linden 5, tel. 202683, U-Bahn: Friedrichstrasse*

Pasticceria-Rosticceria [113 E1]

★ De gasten zitten op banken en stoelen als in een woonkamer. Hier is de lekkerste taart van Berlijn te krijgen, maar ook pizza's en sandwiches. 's Zomers heerlijk ijs. *Dag. 10.00–21.00 uur, Charlottenburg, Leibnitzstrasse 45, tel. 3248389, U-Bahn: Adenauerplatz*

RESTAURANTS €€€

Ana e Bruno [106 C3]

★ De beste Italiaan van Berlijn en ook ietwat exotisch door de ongewone keuken van Bruno Pellegrini. Aangename sfeer en uitstekende wijnen. *Di–za 18.30–24.00 uur,*

Charlottenburg, Sophie-Charlotten-Strasse 101, tel. 3257110, S-Bahn: Westend, U-Bahn: Kaiserdamm

Bacco [97 E5]

Een van de voortreffelijke Italiaanse restaurants in de stad. Al zó lang geliefd, dat sommigen zich schamen om er heen te gaan. Niet terecht. Toscaanse keuken. *Ma–za 12.00–15.00 en 18.00–24.00 uur, zo 18.00–24.00 uur ('s zomers zo gesloten), Charlottenburg, Marburger Strasse 5, tel. 2118687, U-Bahn: Wittenbergplatz*

Dachgartenrestaurant [98 A2]

◀▶ In de Duitse Bondsdag. Het uitzicht is adembenemend: Dom, Rotes Rathaus, Fernsehturm en Gendarmenmarkt concurreren met de door fijnproevers beheerde keuken. De toeloop van gasten is zeer groot. *Dag. 9.00–16.30, 18.30–24.00 uur, Tiergarten, Platz der Republik, tel. 22629933, U- en S-Bahn: Friedrichstrasse, bus 100*

Kaiserstuben [99 D2]

★ Tegenover het Pergamon-Museum herbergt het souterrain van een herenhuis uit 1830 een deftig, eersteklas restaurant. Creatieve keuken en uitgebreide wijnkaart. *Di–za. 18.00–24.00 uur, Mitte, am Kupfergraben 6a, tel. 20452980, S-Bahn: Hackescher Markt*

Ponte Vecchio [107 D4]

★ Italiaan met een zeer goede reputatie. De prijzen blijven binnen de perken en de kok staat met beide benen op de grond. Er zijn dus veel vaste klanten. *Dag. behalve di 18.30–23.00 uur, Charlottenburg, Spielhagenstrasse 3, tel. 3421999, U-Bahn: Bismarckstrasse*

Trio [106 C3]

★ Een klein, eenvoudig en voortreffelijk etablissement. De ambitieuze gastheren bieden het allerbeste voor vriendelijke prijzen in de Charlottenburger Kiez, in de buurt van het slot. Zeer ongedwongen sfeer. *Dag. behalve wo en do 19.00–1.00 uur, Charlottenburg, Klausenerplatz 14, tel. 3217782, S-Bahn: Westend*

RESTAURANTS €€

Borchardt [98 C4]

★ Het restaurant heeft een hoog plafond met mozaïeken en een vloer uit de keizertijd. Het ligt aan de Gendarmenmarkt, midden in het centrum. Uitstekende gerechten, 's avonds vaak beroemde gasten. *Dag. 11.30–1.00 uur, Mitte, Französische Strasse 47, tel. 20387110, U-Bahn: Französische Strasse*

Hakuin [97 F6]

Het restaurant, gevestigd in een gebouw uit de jaren zestig, ziet er vanbinnen een beetje Japans uit. U krijgt hier alleen vegetarische kost, die wel bijzonder origineel en erg smakelijk is. Eindelijk een restaurant waar niet gerookt mag worden. *Wo–za 17.00–23.30 uur, Schöneberg, Martin-Luther-Strasse 1, tel. 2182027, U-Bahn: Wittenbergplatz*

Hamlet [96 C5]

Aangename bistro en fantasierijke keuken met Fr.... invloeden. De .... des en groente.... maaltijd. *Dag. v.... eind), Wilmers.... 47, tel. 882136.... strasse*

Maxwell [110 B1]
Restaurant met de prettige sfeer uit de eerste helft van de 19de eeuw in de voormalige brouwerij Josty. *Dag. 18.00–23.30 uur, Mitte, Bergstrasse 22, tel. 2807121, U-Bahn: Rosenthaler Platz*

Merhaba [117 D4]
Merhaba is Turks voor 'goedendag' en de gasten voelen zich hier inderdaad welkom. Moderne zaak. Goed gesitueerde Turken vieren hier familiefeesten. De maaltijden zijn origineel. *Dag. 12.00–24.00 uur, Kreuzberg, Hasenheide 39, tel. 6921713, U-Bahn: Südstern, Hermannsplatz*

Paris Bar [96 C4]
Tegenwoordig zitten hier de deftigste *peintres, écrivains* en *artistes* en zij wanen zich in Parijs. Het eten is echter Berlijns. *Dag. 12.00–1.00 uur, Charlottenburg, Kantstrasse 152, tel. 3138052, U-Bahn: Uhlandstrasse, bus 149*

Rosmini [104 A5]
In deze 'pastafabriek' serveert men authentieke pasta. Het voordelige lunchmenu is zeer geliefd. *Ma–za 12.00–24.00 uur, Mitte, Invalidenstrasse 151, tel. 28096844, U-Bahn: Zinnowitzer Strasse*

Schwarzenraben [99 E–F2]
Dit 'volkskoffiehuis' is een ontmoetingspunt van bezoekers die voor een goede maaltijd graag iets meer willen betalen. *Dag. 9.00–1.00 uur, Mitte, Neue Schönhauser Strasse 13, tel. 28391698, U-Bahn: Weinmeisterstrasse*

...dige Vertretung [98 C2]
...ieuwbakken Berlijners uit ... heimwee heeft Friedel Dautzenburg – ooit fel anti-Berlijns – de sprong naar Berlijn gewaagd en een toevluchtsoord met gaffelbier, halve haan, peperkoek en carnaval geschapen. *Dag. vanaf 11.00 uur, open eind, Mitte, Schiffbauerdamm 8, tel. 2823965, U-Bahn: Friedrichstrasse*

Trenta Sei [98 C4]
Gedreven Italiaan met een doordachte menukaart, aan de Gendarmenmarkt. *Dag. vanaf 12.00 uur, Mitte, Markgrafenstrasse 36, tel. 20452630, U-Bahn: Stadtmitte*

Candela [115 D3]
🏃 Het eten smaakt Italiaans en u zit er gezellig in de buurt Schöneberg. *Dag. 17.00–1.00 uur, Schöneberg, Grunewaldstrasse 81, tel. 7821409, U-Bahn: Eisenacher Strasse*

Carpe Diem [96 C4]
Het restaurant ligt onder de voor Berlijn typerende bogen van de S-Bahn. Tapas, originele gerechten en lekkere Spaanse wijn. 's Zomers kunt u buiten zitten. *Zo–vr 17.00–1.00 uur, za 14.00–1.00, zo, ma en feestdagen evenementen, Charlottenburg, Jeanne-Mammen-boog (576–577), in de Savigny-Passage, tel. 3132728, S-Bahn: Savignyplatz, U-Bahn: Uhlandstrasse*

Grossbeerenkeller [116 A2]
De Grossbeerenkeller bestaat sinds 1862, het jaar waarin Bismarck minister-president werd. Zijn haringen staan nog altijd op het menu, net als de schnitzel van Geheimrat von Holstein en gebakken aardappelen. Typisch Berlijnse kroeg.

Ma–vr 16.00–24.00, za 18.00–24.00 uur, Kreuzberg, Grossbeerenstrasse 90, tel. 2513064, U-Bahn: Möckernbrücke

Mao Thai

Aangename inrichting. Het eten is van goede kwaliteit. Er zijn maar liefst twee restaurants: *Prenzlauer Berg, Wörther Strasse 30* **[105 D4]**, *tel. 4419261, ma–za 12.00–23.30 uur, U-Bahn: Senefelderplatz*, en *Wilmersdorf, Meierottostrasse 1* **[96 C6]**, *tel. 8832823, ma–vr 16.30–23.30, za en zo vanaf 13.00 uur, U-Bahn: Spichernstrasse*

Oren [110 B2]

★ ✗ Aangenaam restaurant in het joodse culturele centrum, naast de synagoge. Geen vlees, wel vis. Wie koosjer wil eten kan beter naar het nabijgelegen Bethcafé gaan. *Ma–do 12.00–1.00, vr 12.00–2.00, za en zo 10.00–2.00 uur, Mitte, Oranienburger Strasse 28, tel. 2828228, S-Bahn: Oranienburger Strasse*

Pasternak [105 D5] Tip

Geen nostalgisch DDR-restaurant, maar nieuw en toch gezellig. Gerechten op z'n Russisch, wijn op z'n westers. *Dag. 12.00–2.00 uur, Prenzlauer Berg, Knaackstrasse 22-24, tel. 4413399, U-Bahn: Senefelder Platz*

Tuk Tuk [115 D3]

✗ De inrichting verwijst slechts naar Indonesië, maar de keuken is zo echt als het maar zijn kan. Tegen een acceptabele prijs krijgt u het heerlijkste eten, ook een grote rijsttafel. *Dag 17.00–1.00 uur, keuken tot 24.00 uur, Schöneberg, Grossgörschenstrasse 2, tel. 7811588, U-Bahn: Kleistpark*

Zur kleinen Markthalle [117 D1]

Goede, stevige en betaalbare kost in het hartje van Kreuzberg. Soepen, vegetarisch eten, gebraden kip of varkenspoot. *Dag. vanaf 18.00 uur, Kreuzberg, Legiendamm 32, tel. 6142356, U-Bahn: Moritzplatz*

Ga voor stevige kost naar de gezellige Grossbeerenkeller in Kreuzberg

Te kust en te keur

Duur en deftig is er in Berlijn genoeg, maar winkels met grappige hebbedingetjes, tweedehands spulletjes of handgemaakte hoeden zijn iets moeilijker te vinden

De Friedrichstrasse ontpopt zich tot de luxe winkelstraat van het oostelijke centrum. Na de opening in 1996 van de Friedrichstadtpassage en het warenhuis Lafayette komt de stemming er nu goed in. Het levendigst gaat het er in de ★ Hackesche Höfe en omgeving aan toe. Daar vindt u galeries, nijverheidswinkeltjes en hippe boetiekjes.
De belangrijkste winkelstraten van de westelijke City beginnen bij de Gedächtniskirche. De Tauentzienstrasse loopt daarvandaan naar het oosten. Hier vindt u het Europa Center (zo'n honderd winkels en restaurants), aansluitend de Mini-City (leuke boetiekjes) met onder andere schoenenzaken en lampenwinkels, en aan het eind, aan de Wittenbergplatz, het KaDeWe, het grootste warenhuis van het continent. Vanaf de Gedächtniskirche in westelijke richting loopt u de Kurfürstendamm op, met aan het begin veel restaurants en hamburgertenten, maar verderop ook boekhandels, winkels met geluidsapparatuur, fotozaken en vooral veel mode.
De zijstraten zijn nog interessanter. In de omgeving van de Wittenberg-

Flitsende herenmode

platz vindt u de Keithstrasse met antiekzaken, en bij de Ku'damm de ★ Fasanenstrasse met Cartier, Louis Vuitton en antiekwinkels, de Uhland- en de Knesebeckstrasse. In de ★ Bleibtreustrasse vindt u modezaken en juweliers als Hotch Potch, Moosgrund, Soft, Kaufhaus Schrill en Lalique. Bij het S-Bahnstation is de ★ 🏃 Savigny-Passage onder de genummerde bogen van de S-Bahn. Hier vindt u kroegen, luxe winkeltjes en boekhandels.
De meeste winkels gaan doordeweeks om 9.00 uur of 10.00 uur open en sluiten om 19.00 uur of 20.00 uur, 's zaterdags om 16.00 uur. Na sluitingstijd kunt u voor levensmiddelen terecht in de U-Bahnstations Kurfürstendamm, Fehrbelliner Platz, Schlossstrasse en Hermannstrasse en op het vliegveld Tegel, meestal tot 22.00 uur.

Typisch Berlijns: dure mode in een winkel met een ouderwetse kachel

ANTIQUARIATEN

Antiquariat in den Hackeschen Höfen [99 E2]

Hier worden vooral boeken over de theaterwereld verkocht. *Mitte, Rosenthaler Strasse 40/41, Hof 4, S-Bahn: Hackescher Markt*

Düwal [96 C4]

De tot aan de nok volgepakte winkel herbergt onvermoede schatten. *Charlottenburg, Schlüterstrasse 17, S-Bahn: Savignyplatz*

Schomaker und Lehr [114 A6]

Twee verschillende zaken op één adres: een antiquariaat voor kunst en een voor literatuur. *Friedenau, Niedstrasse 24, U-Bahn: Friedrich-Wilhelm-Platz*

CD's EN LP's

Canzone [96 C4]

Platen en cd's uit de hele wereld. *Charlottenburg, Savigny-Passage, boog 583, S-Bahn: Savignyplatz*

Fidelio [114 C4]

Een antiquariaat voor klassieke muziek en jazz, maar ook hedendaagse muziek. *Schöneberg, Akazienstrasse 30, U-Bahn: Eisenacher Strasse*

Tip Platten Pedro [107 D1]

Een kwart miljoen antiquarische platen (geen cd's): Pedro heeft alles. *Charlottenburg, Tegeler Weg 100, U-Bahn: Mierendorffplatz*

DELICATESSEN

Marzipankonditorei Wald [107 D5]

In de keuken naast het winkeltje werken de meesters Irmgard en Paul Wald nog volgens Oost-Pruisische recepten. *Charlottenburg, Pestalozzistrasse 54a, U-Bahn: Sophie-Charlotte-Platz*

Salumeria [107 D5]

Al het lekkers uit Italië: ham, salami, kaas, antipasti en wijn. Ook een paar zitplaatsen. *Charlottenburg, Windscheidstrasse 20, U-Bahn: Wilmersdorfer Strasse*

Schokoladenfabrik Hamann [113 F4]

Hier vervaardigt men sinds 1912 chocolade en bonbons. Dit is de enige art-decowinkel in Berlijn. *Wilmersdorf, Brandenburgische Strasse 17, U-Bahn: Blissestrasse*

VLOOIENMARKTEN

De belangrijkste vlooienmarkt wordt za en zo gehouden van 10.00 tot 17.00 uur aan de ★ Strasse des 17. Juni. Het aanbod is veelzijdig, maar voor koopjes moet u heel vroeg opstaan. Ernaast is een markt met kunst en kunstnijverheid. *(U-Bahn: Ernst Reuter-Platz, S-Bahn: Tiergarten).* Ook in het weekeinde is er een vlooienmarkt tussen het Zeughaus en de Kupfergraben met schilderijen, grafiek en snuisterijen *(za–zo 11.00–17.00 uur, U- en S-Bahn: Hackescher Markt).* Antiek, kunst, en prullaria worden aangeboden in de S-Bahn-arcaden aan de Georgenstrasse; er zijn ook restaurants en cafés *(wo–ma 11.00–18.00 uur, bogen 190 tot 203, U- en S-Bahn: Friedrichstrasse).*

GALERIES

In Berlijn zijn zo'n 250 galeries. Sinds 1989 is er veel veranderd. In

Berlijn Mitte is het aanbod groot, met name rond de Hackesche Höfe, August-, Gips- en Sophienstrasse. *Berlin Programm* biedt een over- zicht van tentoonstellingen.

Aedes [99 E2]
Architectuurgalerie in de Hackesche Höfe. *Mitte, Rosenthaler Strasse 40–41, S-Bahn: Hackescher Markt*

Bassenge [107 F5]
Grafische kunst, stadsgezichten, kunst- en boekenveilingen. *Charlot- tenburg, Bleibtreustrasse 19, S- Bahn: Savignyplatz, bus 119*

Brusberg [108 A6]
Klassiek-moderne kunst, surrealis- me, dadaïsme, hedendaagse kunst, DDR-schilderkunst. *Charlottenburg, Kurfürstendamm 213, U-Bahn: Uh- landstrasse*

Kunstwerke Berlin [99 D1]
Belangrijk adres voor hedendaagse kunst. *Mitte, Auguststrasse 69, S-Bahn: Oranienburger Strasse*

Leo.Coppi [99 E2]
Hedendaagse kunst. *Mitte, Rosen- thaler Strasse 40/41, Hackesche Hö- fe (Hof 3), S-Bahn: Hackescher Markt*

Pels Leusden [108 A6]
In Villa Griesbach wordt allerhande kunst tegen hoge bedragen verhan- deld. *Charlottenburg, Fasanenstras- se 25, U-Bahn: Uhlandstrasse*

WARENHUIZEN

KaDeWe [97 E5]
★ Deze winkel (60.000 m^2) is een van de grootste van Europa. *Schö- neberg, Tauentzienstrasse 21, U- Bahn: Wittenbergplatz*

Kulturkaufhaus Dussmann [98 C2]

Dit warenhuis heeft de regels handig weten te omzeilen en is open tot 22.00 uur. *Mitte, Friedrichstrasse 90, U- en S-Bahn: Friedrichstrasse*

Galeries Lafayette [98 C4]

Dit filiaal van het Parijse warenhuis is gevestigd in een indrukwekkend pand. *Mitte, Friedrichstrasse hoek Französische Strasse, U-Bahn: Französische Strasse*

CURIOSA EN ACCESSOIRES

Tip **Bergmannstrasse** [116 A–B 3–4]
In de Bergmannstrasse in Kreuzberg vindt u talrijke tweedehands winkeltjes. Rommeltjes, sieraden, kleding en allerlei prullaria, maar ook een ufo-winkel en Onkel Abou Dabous Trödeltheater. *Kreuzberg, Bergmannstrasse, U-Bahn: Gneisenaustrasse*

Kaufhaus Schrill [96 B4]

★ Een paradijs voor mannen die houden van neushoorns op hun das en krokodillen op hun onderbroek. *Charlottenburg, Bleibtreustrasse 46, S-Bahn: Savignyplatz*

Knopf-Paul [106 B3]

Meer dan 1,5 miljoen knopen in allerlei soorten en maten, ook heel oude. Hier vindt u wat u zoekt. *Kreuzberg, Zossener Strasse 10, U-Bahn: Gneisenaustrasse*

Rio [96 B4]

★ Sieraden van veelkleurige parels, (edel)stenen, glas, stras, ijzerdraad, imitatiegoud en -zilver. *Charlottenburg, Bleibtreustrasse 52, S-Bahn: Savignyplatz*

MARKTEN

Weekmarkten zijn er in alle wijken. Een bezoekje waard zijn de markten voor het Rathaus Schöneberg

Galeries Lafayette is een hypermodern warenhuis in de Friedrichstrasse

(di en vr 8.00–13.00 uur), op de Wittenbergplatz *(di en vr 8.00–14.00 uur)* en voor het Rote Rathaus in Mitte *(di 9.00–17.00 en za 8.00–14.00 uur)*. Een Oud-Berlijnse sfeer treft u aan in de markthallen, zoals die aan de Marheinekeplatz *(ma–vr 8.00–18.00 uur, za 8.00–13.00 uur)* of in de Arminiusmarkthalle *(ma–vr 7.30–18.00 uur, za 7.30–13.00 uur)* in de buurt van de Turmstrasse, en de eko-markt aan de Königin-Luise-Strasse in Dahlem *(za 8.00–13.00 uur)*.

Winterfeldmarkt [115 D2]

🏃 Berlijnse markt met een kerk, cafés en winkels eromheen en met een gevarieerd aanbod. Ook de omgeving verdient uw aandacht: boeken, antiquiteiten. *Schöneberg, Winterfeldplatz, wo en za 8.00–14.00 uur, U-Bahn: Nollendorfplatz*

Wochenmarkt Maybachufer [117 E3]

★ De bijnaam 'Türkenmarkt' is niet geringschattend bedoeld, want de Turken hebben verstand van verse groente en fruit, kruiden, schapenkaas en ovenvers brood. Hier, op de grens tussen de Turkse buurten Kreuzberg en Neukölln, waant u zich in Istanbul. *Kreuzberg, May-bachufer, di en vr 12.00–18.30 uur, U-Bahn: Kottbusser Tor*

MODE

Bramigk Design [96 C4]
Tip voor liefhebbers van Italiaanse stoffen. *Charlottenburg, Savigny-Passage, boog 598, S-Bahn: Savignyplatz*

Falbala [105 D4]
Kleding en accessoires uit de jaren twintig. *Mitte, Knaackstrasse 43, U-Bahn: Senefelderplatz*

Fiona Benett [99 E1]
Voor het dragen van haar hoeden hebt u moed en geld nodig. *Mitte, Grosse Hamburger Strasse 25, S-Bahn: Hackescher Markt*

SCHOENEN

Barfuß oder Lackschuh [99 E2]
Een leuk, alternatief adres. *Mitte, Oranienburger Strasse 89, S-Bahn: Hackescher Markt*

Bruno Magli [107 E6]
Elegante Italiaanse schoenen. Duur, maar onvoorstelbaar chic. *Charlottenburg, Kurfürstendamm 62, U-Bahn: Adenauerplatz*

Oud en authentiek

Waar antiekliefhebbers vinden wat zij zoeken

De meeste antiekwinkels zijn gevestigd in de Keithstrasse, in de Fasanenstrasse (de duurste), in de Bleibtreustrasse, de Pariser Strasse, de Pestalozzistrasse en de Suarezstrasse in Charlottenburg, maar ook rond de Nollendorf- en Winterfeldplatz, in de Eisenacher Strasse en op de antiekmarkt onder de bogen van de S-Bahn tussen de stations Friedrichstrasse en Kupfergraben.

Slapen als een roos

Na de hereniging kwamen er zo veel mensen naar Berlijn, dat het aantal hotels explosief steeg

Nu Berlijn hoofdstad van Duitsland is, stromen politici, managers, handelaars, toeristen en jongeren toe – ze willen het meemaken, misschien zelfs een beetje meedoen, maar vooral willen ze zien wat er hier aan de hand is. Berlijn was altijd al een interessante stad, maar nu gebeurt er iets unieks. De stad ontwikkelt zich tot het centrum van de republiek, tot een cultuurmetropool en tot een mekka voor nachtbrakers. Berlijn vervult een voorbeeldfunctie voor de hereniging. Dat heeft tot gevolg dat het er nu drukker is dan ooit tevoren. Niet alleen tijdens de grote congressen en tentoonstellingen is de stad overvol, maar ook op vele andere dagen. Dat heeft tot gevolg dat u op tijd voor accommodatie zult moeten zorgen. In het centrum, aan de Gendarmenmarkt, zijn luxueuze hotels verrezen, in Neukölln het grote, keurige Estrel Residence & Congress Hotel, en aan de Pariser Platz is ook het traditierijke Adlon weer herrezen. Er wordt nog veel gebouwd, misschien wel een beetje te veel.

De meest gewilde van de bijna 60.000 hotelbedden in Berlijn zijn in ieder geval vaak bezet. In dit

In Hotel Adlon overnacht u in stijl

boekje kunnen we slechts een paar geselecteerde adressen opnemen. Sinds de val van de Muur is het aantal hotelbedden verdubbeld, maar de bezettingsgraad blijft stijgen en ligt bij de grote en middelgrote hotels op 62 procent. Er overnachten ieder jaar 12 miljoen gasten in de Berlijnse hotels.

Het Berlijnse *Hotelverzeichnis* deelt de ongeveer 450 onderkomens in aan de hand van een beoordeling van de stichting Warentest. De in deze gids gebruikte indeling in drie categorieën komt ongeveer met dit systeem overeen: 'fatsoenlijk en eenvoudig', 'gematigde pretenties en redelijk comfortabel' en tot slot 'pretentieuzer met veel comfort dat aan luxe grenst'. Hotels uit de middenklasse bevredigen echter vaak ook de wensen van mensen die hoge eisen stellen, en goedkope pensions bieden soms

Wie hoge eisen stelt, kan terecht in Hotel Mondial, Kurfürstendamm

verrassend veel comfort. Bij de meeste hotels en pensions zijn de prijzen inclusief ontbijt. De hieronder genoemde prijzen gelden voor tweepersoonskamers.

Inlichtingen en hotelboekingen via de Tourist-Information:

Europa Center [97 E4–5] *Budapester Strasse, ma–za 8.00–22.00 uur, zo 9.00–21.00 uur; Brandenburger Tor* [98 A3], *zuidvleugel, dag. 9.30–18.00 uur; vliegveld Tegel* [100 C1] *hoofdhal (bij Lufthansa), dag. 5.00–22.30 uur;* postadres: *Berlin Tourismus Marketing GmbH, Am Karlsbad 11, 10785 Berlijn.* Hotline *tel. 250025, fax 25002424*

Voor jongerenhotels kunt u boeken bij het *Deutsches Jugendherbergswerk, Tempelhofer Ufer 32, tel. 2623024, ma–do 8.00–15.00 uur, vr 8.00–14.00 uur*

De bar in Kempinski Hotel Bristol

HOTELS €€€

Crowne Plaza Berlin City Centre [97 E5]

Aangenaam, gezellig hotel in de buurt van de Tauentzienstrasse met uitgebreide sportfaciliteiten. Prijzen zijn exclusief ontbijt. *425 kamers, 10787 Berlin, Nürnberger Strasse 65, tel. 210070, fax 2132009, U-Bahn: Wittenbergplatz*

Dorint am Gendarmenmarkt [98 C4]

Verzorgd en fraai vormgegeven hotel achter een DDR-gevel. Restaurant met de oorspronkelijke inrichting van het Café Aigner in Wenen. *71 kamers, 21 suites, 10117 Berlin, Charlottenstrasse 50–52, tel. 203750, fax 20375100, www.dorint.de, U-Bahn: Französische Strasse*

Grosser Kurfürst [99 E5]

Gelegen op een eersterangs plek aan de Spree: in het centrum, maar toch op een rustige locatie. Dit hotel biedt zijn gasten veel verwenfaciliteiten. *144 kamers, 10179 Berlin, Neue Rossstrasse 11–12, tel. 246000, fax 24600300, grosser-kurfürst@online.de, U-Bahn: Märkisches Museum*

Kempinski Hotel Bristol [96 C4]

Een traditioneel hotel aan de Kurfürstendamm, maar toch zijn de kamers rustig. Smaakvolle inrichting en een beschaafde sfeer. *301 kamers, 10719 Berlin, Kurfürstendamm 27, tel. 88434-0, fax 8836075, www.kempinskiberlin.de, U-Bahn: Kurfürstendamm*

Mondial [96 B5]

★ Dit is een zeer verzorgd hotel. Bij de inrichting ervan heeft men rekening gehouden met gasten met een handicap. Uitstekende faciliteiten (onder meer een zwembad en een sauna) en een aanbevelenswaardig restaurant. *85 kamers, 10707 Berlin, Kurfürstendamm 47, tel. 88411-0, fax 88411150, www.hotel-mondial.com, U-Bahn: Uhlandstrasse*

Marco Polo-aanraders
Hotels

★ **Cecilienhof**
Vorstelijke kamers in
Potsdam (bladzijde 89)

★ **Dittberner**
Beste prijs-kwaliteit-
verhouding van alle Berlijnse
pensions (bladzijde 68)

★ **Forsthaus Hubertusbrücke**
Rustig gelegen aan de
Düppeler Forst en de
Stölpchensee (bladzijde 66)

★ **Four Seasons Hotel**
In stadsdeel Mitte, aan de
Gendarmenmarkt, prima
bediening (bladzijde 66)

★ **Igel**
Een klein familiebedrijfje in
het bos (bladzijde 68)

★ **Kronprinz**
Comfortabele kamers in een
pand uit de 19de eeuw
(bladzijde 66)

★ **Mondial**
Comfortabel hotel met
voorzieningen voor gehan-
dicapten (bladzijde 64)

★ **Paulsborn**
Gegarandeerd rustige
nachten in het Grunewald
(bladzijde 67)

★ **Savoy Hotel**
Prettige middenklasser bij
het centrum (bladzijde 65)

★ **Seehof**
Goed, intiem hotel aan de
Lietzensee (bladzijde 65)

Hotel Palace Berlin [97 E4]
Volgens het blad *Top Hotel* is dit het meest geliefde vijfsterrenhotel van Duitsland. *282 kamers, 10789 Berlin, Budapester Strasse (in het Europa Center), tel. 2502–0, fax 2502–1160, www.palace.de, U-Bahn: Wittenbergplatz, S- en U-Bahn: Zoologischer Garten*

Savoy Hotel [97 D4]
★ Het Savoy Hotel is een niet al te groot hotel met degelijk comfort, op geringe afstand van de beurs. Gelegen tussen de Zoo en de Kurfürstendamm. *125 kamers, 10623 Berlin, Fasanenstrasse 9–10, tel. 31103–0, fax 31103333, www. hotel-savoy.com, U-Bahn: Zoologischer Garten*

Seehof [106 C5]
★ Een aangenaam, niet al te groot hotel in de buurt van het Internationale Congress-Centrum (ICC). Het hotel biedt uitzicht op de kleine Lietzensee. *77 kamers, 14057 Berlin, Lietzenseeufer 11, tel. 320020, fax 32002251, www. hotel-seehof-Berlin.de, bus 149, S-Bahn: Witzleben*

Steigenberger [97 D5]
Dit is een groot hotel van hoog niveau op een gunstige locatie in het centrum. De uiterst comfortabele suites trekken publiek van stand. *397 kamers, 10789 Berlin, Los-Angeles-Platz 1, tel. 21270, fax 2127117, www.steigenberger.de, U-Bahn: Kurfürstendamm*

Berlijnse luxehotels

Four Seasons Hotel [98 C4]
★ Met een voortreffelijk restaurant en een vriendelijke bediening. Volgens velen het beste hotel van heel Duitsland. *204 kamers, 255–305 euro, 10117 Berlin, Charlottenstrasse 49, tel. 20338, fax 20336166, www.fourseasons. com, U-Bahn: Französische Strasse*

Hotel Adlon Berlin [98 B3]
Een absoluut tophotel in een traditioneel pand op een traditionele plaats, pal bij de Brandenburger Tor. *337 kamers, vanaf 250 euro, 10117 Berlin, Unter den Linden 77, tel. 22610, fax 22612222, www.hotel-adlon.de, S-Bahn: Unter den Linden*

Grand Hotel Esplanade [109 D5]
Luxueus hotel in postmoderne stijl aan het Landwehrkanal. Het restaurant *Harlekin* behoort tot de topadressen van Berlijn. Prijzen zonder ontbijt. *387 kamers, vanaf 205 euro,. 10785 Berlin, Lützowufer 15, tel. 254780, fax 2651171, www.esplanade.de, bus X9*

Inter-Continental [97 E4]
In de hotelwijk Budapester Strasse. Een luxueus gebouw in Amerikaanse stijl, dat veel publiek van gene zijde van de plas trekt. Prijzen zonder ontbijt. *511 kamers, 217–315 euro, 10787 Berlin, Budapester Strasse 2, tel. 26020, fax 26022600, U-Bahn: Zoologischer Garten*

The Ritz Carlton Schlosshotel, Berlin [0]
Onder leiding van Karl Lagerfeld gerestaureerd hotel in Grunewald, vlak bij de Kurfürstendamm. Op fraaie locatie bij het Grunewald en vlak bij de Ku'damm. *54 kamers, vanaf 250 euro, Brahmsstrasse 10, 14193 Berlin, tel. 895840, fax 89584000, bus 119, 129*

HOTELS €€

Askanischer Hof [113 E2]
Weelderige, Oud-Berlijnse vertrekken in een van de weinige oude Ku'-damm-huizen. Verzorgd, vertrouwd, in trek bij kunstenaars en bohémiens. *17 kamers, 10707 Berlin, Kurfürstendamm 53, tel. 8818033, fax 8817206, U-Bahn: Adenauerplatz*

Forsthaus Hubertusbrücke [0]
★ Een rustig gelegen hotel, dat net zo dicht bij Potsdam als bij het centrum ligt. *22 kamers, 14109 Berlin, Stölpchenweg 45, tel. 8053000, fax 8053524, bus 118, S-Bahn: Wannsee*

Kardell [107 D6]
Prettig hotel met een restaurant van naam waar vooral Berlijnse specialiteiten op tafel komen. Reserveren. *33 kamers, 10629 Berlin, Gervinusstrasse 24, tel. 3279970, fax 3279977, U-Bahn: Adenauerplatz*

Kronprinz [112 C2]
★ In een volledig gerenoveerd woonhuis uit de *Gründerzeit*, zeer comfortabele kamers. Gelegen aan

het eind van de Kurfürstendamm, in de buurt van de beursgebouwen (Messe). *80 kamers, 10711 Berlin, Kronprinzendamm 1, tel. 896030, fax 8931215, www.kronprinzhotel.de, S-Bahn: Halensee*

Paulsborn [O]
★ In de houtvesterij Paulsborn in een rustige omgeving in het Grunewald, rustieke, mooie kamers; deze uitspanning is vooral in de zomermaanden populair vanwege de grote terrastuin. *10 kamers, 14193 Berlin, Am Grunewaldsee/inrit Hüttenweg, tel. 8181910, fax 81819150, bus 115, 118, 180*

Rheinsberg am See [O]
In het noorden van Berlijn, aan een meertje in Wittenau in de buurt van het Märkische Viertel, staat een aangenaam hotel met binnen- en buitenbad en een goed restaurant. *81 kamers, 13435 Berlin, Finsterwalder Strasse 64, tel. 4021002, fax 4035057, www.hotel-rheins berg.com, S- en U-Bahn: Wittenau*

Riehmers Hofgarten [116 A3]
Een nieuw hotel in een historisch stadsdeel, met een smaakvolle inrichting en een aangenaam restaurant. Midden in Kreuzberg. *21 kamers, 10965 Berlin, Yorckstrasse 83, tel. 78098800, fax 78098808, U-Bahn: Mehringdamm*

Wittelsbach [113 E2]
Rustig, centraal gelegen hotel met ontbijtruimte voor niet-rokers. Ook kinderen zijn welkom. Goede prijskwaliteitverhouding. *31 kamers, 10707 Berlin, Wittelsbacher Strasse 22, tel. 8736345, fax 8621532, U-Bahn: Konstanzer Strasse*

The Ritz Carlton Schlosshotel is door Karl Lagerfeld opnieuw ingericht

HOTELS €

Tip

Artemisia [113 E2]

Het enige vrouwenhotel in Berlijn. Mannen hebben alleen toegang tot de conferentiezaal. *8 kamers, 10707 Berlin, Brandenburgische Strasse 18, tel. 8738905, fax 8618653, Frauenhotel-Berlin@t-online.de, U-Bahn: Konstanzer Strasse*

Belvedere [0]

In een Grunewald-villa, maar toch dicht bij de Kurfürstendamm gelegen en goed geleid hotelletje met een terras. Prijzen zonder ontbijt. *17 kamers, 14193 Berlin, Seebergsteig 4, tel. 826001–0, fax 82600163, bus 129, 119*

Bogota [96 B4]

Rustig en goedkoop en toch bijna onmiddellijk aan de Kurfürstendamm. Gevestigd in een oud appartementengebouw met ruime kamers. *130 kamers, 10707 Berlin, Schlüterstrasse 45, tel. 8815001, fax 8835887, hotel.bogota@-online.de, U-Bahn: Uhlandstrasse*

Dittberner [107 E6]

★ Bij de Kurfürstendamm gelegen pension met opvallend veel comfort tegen een lage prijs. *22 kamers, 10707 Berlin, Wielandstrasse 26, tel. 884695–0, fax 8854046, U-Bahn: Adenauerplatz*

Die Fabrik [111 F6]

Voordelige herberg in een voormalige fabriek. Een bed in de slaapzaal kost 15 euro, een 'suite' 55 euro per nacht. *45 kamers, 10997 Berlin, Schlesische Strasse 18, tel. 6118254, fax 6182974, www.die fabrik.com, U-Bahn: Schlesisches Tor*

Igel [0]

★ In de buurt van de Tegeler See en het Tegeler Forst ligt midden in de bossen een klein, nieuw familiehotel. Niet ver van het centrum. *67 kamers, 13505 Berlin, Friederikestrasse 33–34, tel. 4360010, 4314042, fax 4362470, bus 222*

Kunstlerheim Luise [98 B1]

In een historisch pand naast Palais Bülow, dicht bij de Rijksdag en de regeringsgebouwen, overnacht u in kamers die door kunstenaars alle verschillend zijn ingericht. *30 kamers, 10117 Berlin, Luisenstrasse 19, tel. 284480, fax 28448448, S- en U-Bahn: Friedrichstrasse*

Twee prettige pensions onder één dak: Modena en Dittberner

Modena [107 E6]

Goedkoop, goed geleid Oud-Berlijns hotel-pension, rustig gelegen in de buurt van de Kurfürstendamm. *19 kamers, 10707 Berlin, Wielandstrasse 26, tel. 8857010, fax 8815294, U-Bahn: Adenauerplatz*

Savigny [113 E2]

Laaggeprijsd hotel, eenvoudig maar degelijk, prijzen inclusief ontbijt. *52 kamers, 10707 Berlin, Brandenburgische Strasse 21, tel. 8813001, fax 8825519, U-Bahn: Konstanzer Strasse*

St. Michaelis-Heim [112 B4]
Hotel aan de Herthasee in Grune-wald, dus aan de westzijde van het centrum. Verzorgd, grote eetzaal, vergaderruimten. Hotel (19 kamers) en voordelige jeugdherberg (39 kamers). *14193 Berlin, Bismarckallee 23, tel. 896880, fax 89688185*

Hotel am Wilden Eber [112 C6]
Klein hotel in de buurt van Dahlem, en de Vrije Universiteit. De kamers beschikken over een bad en er is een verwarmd zwembad. Prijzen zonder ontbijt. *15 kamers, 14199 Berlin, Warnemünder Strasse 19, tel. 89777990, fax 8244035, bus 110*

WONEN ZOALS THUIS

Het idee is vrij nieuw, maar de formule is nu al een succes: via *Mitwohnzentralen* kunt u woningen of kamers die tijdelijk leegstaan voor korte of langere tijd huren.

Mitwohnzentralen
Berlin Zimmer, Kurfürstendamm 23, 10785 Berlin, tel. 26554444, fax 26554445, www.BerlinZimmer.de; City Mitwohnzentrale, 10623 Berlin, Hardenbergplatz 14, tel. 19430, fax 2169401; Zeitraum, Horstweg 7, 14059 Berlin, tel. 3257093, fax 3219546, www.zeitraum.de

VOOR JONGEREN

Er zijn zeventien jongerenhotels in Berlijn, die voordelige overnachtingen aanbieden voor groepen en mensen die alleen reizen. Infor-meer bij *Berlin Tourist-Information, 10789 Berlin, Europa-Center, tel. 250025.* Voor reserveringen bij jeugdherbergen kunt u zich wenden tot het *Deutsche Jugendherbergswerk, Tempelhofer Ufer 32, 10963 Berlin, tel. 2649520.* Centrale reservering: *Kluckstrasse 3, 10785 Berlin, tel. 2623024, 2611097, fax 2629529*

BaxPax [117 E2]
Ideaal adres voor jongeren die komen voor de Kreuzbergse 'scene'. Een bed in een slaapzaal is er vanaf 12 euro, een tweepersoonskamer vanaf 18 euro. *Kreuzberg, Skalitzerstrasse 104, tel. 69518322, fax 69518372, www.baxpax.de, U-Bahn: Görlitzer Bahnhof*

Gäste-Etage Bund Deutscher Pfadfinder [103 E1]
Osloer Strasse 12, 13359 Berlin, tel. 4931070, fax 4941063, U-Bahn: Osloer Strasse

Jugendgästehaus Central [114 A3]
Nikolsburger Strasse 2–4, 10717 Berlin, tel. 8730188, fax 8613485, U-Bahn: Hohenzollernplatz

Jugendgästehaus am Wannsee [0]
Badeweg 1, 14129 Berlin, tel. 8032034/5, fax 8035908, S-Bahn: Nikolassee

Mitte's Backpacker Hostel [104 A5]
Zelfstandige ruimte met keuken is mogelijk, tweepersoonskamer 20 euro, meerpersoonskamer 13 euro per persoon. *10115 Berlijn, Chausseestrasse 102, tel. 28390965, fax 28390935,www.backpacker.de U-Bahn: Zinnowitzer Strasse*

Berlijn slaapt nooit

Hier kan iedereen iets van zijn gading vinden, de culturele fijnproever evenzeer als de discofreak

Philharmonie, Schauspielhaus, vijf opera's en musicaltheaters, meer dan tachtig theaters, avant-garde-theaters en kindertheaters, twintig cabarets, meer dan honderd bioscopen en nog veel meer jazz-, rock-en folkclubs – Berlijn heeft sinds de eenwording nog meer te bieden dan vroeger. Of u nu een verfijnde smaak hebt of juist het eenvoudige waardeert, er is voor elk wat wils. Berlijn is hard op weg een internationale cultuurmetropool te worden, maar wegens begrotingstekorten zijn met name de muziekpodia relatief vaak gesloten. In menig theater sluipt de routine er langzaam maar zeker in. De verjonging van de artistiek leiders en ensembles is in volle gang, maar zij kunnen de verwachtingen helaas niet altijd waarmaken.

U zult genieten van de aanwezigheid van de vele *straatmuzikanten*, die voor het overgrote deel afkomstig zijn uit Oost-Europa. Ze spelen op de Gendarmenmarkt, op de Ku'damm en in een groot aantal metrostations, zoals bijvoorbeeld Hallesches Tor.

Dit is geen decor van een science-fictionfilm; u ziet hier het Sony-Center op de Potsdamer Platz

Spectaculair optreden van Japanse drumspelers in de Deutsche Oper

BALLET – MUSICAL – OPERA

Deutsche Oper Berlin [96 A1–2]
★ Lyrisch ontvangen uitvoeringen door artiesten van internationale naam. Het in 1961 geopende theater ziet er niet zo fraai uit, maar het voldoet uitstekend. *Charlottenburg, Bismarckstrasse 35, tel. 3410249, VVK: 11.00–18.00 uur U-Bahn: Deutsche Oper*

Komische Oper [98 B–C3]
Onder invloed van Walter Felsenstein staat hier vooral lichte kost en klassiek ballet op het repertoire. *Mitte, Behrenstrasse 55–57, kaartentel. 47997400, VVK: ma–za 11.00–17.30 uur, U-Bahn: Französische Strasse, S-Bahn: Unter den Linden*

Tip **Neuköllner Oper** [117 F6]

🏃 Jonge artiesten brengen hier humoristische eigen producties met af en toe wat amateuristische charme. *Neukölln, Karl-Marx-Strasse 131–133, tel. 68890777, VVK: ma–za 9.00–20.00, zo en feestdagen 14.00–20.00 uur, U-Bahn: Karl-Marx-Strasse*

Staatsoper
Unter den Linden [99 D3]

⭐ Klassiek repertoire in het prachtige gebouw van Knobelsdorff. *Mitte, Unter den Linden 7, tel. 20354555, VVK: ma–za 10.00–18.00, zo en feestdagen 14.00–18.00 uur, U- en S-Bahn: Friedrichstrasse, bus 100, 157, 348*

Stella Musical Theater [109 E5]

De voorstellingen zijn op Amerikaanse leest geschoeid, zoals de Disney-productie *De klokkenluider van de Notre Dame.* Dit theater trekt veel publiek. De 1500 m² grote club *Adagio* in de kelder is ingericht in middeleeuwse stijl en moet het kasteel van Dracula voorstellen. *Tiergarten, Marlene-Dietrich-Platz 1, reserveringen tel. 01805–4444, www.stella.de, U- en S-Bahn: Potzdamer Platz*

Theater des Westens [97 D4]

Musical en operette, interessante gastoptredens en succesnummers uit eigen stal. *Charlottenburg, Kantstrasse 12, tel. 8822888, VVK: 9.00–21.00 uur, U-Bahn: Zoologischer Garten*

BARS

Galerie Bremer [96 C6]

Overdag galerie, 's avonds trefpunt van kunstenaars. Hier worden de klanten bediend door Rudi, met een donkere huidskleur en witte haren. Hij werd geboren op de Nederlandse Antillen, maar is sinds jaar en dag een echte Berlijner. *Wilmersdorf, Fasanenstrasse 37, bar ma–za vanaf 20.00 uur, tel. 8814908, U-Bahn: Uhlandstrasse*

Harry's New York Bar [109 D5]

In hotel *Esplanade.* Hier probeert men een goede reputatie te vestigen. *Schöneberg, Lützowufer 15, tel. 25478821, bus 100, 129, 187, 341*

Reingold [110 A1]

Uitstekende drankjes aan een lange art-decotoog. *Dag. 18.00–2.00, vr, za tot 4.00 uur, Mitte, Novalisstrasse 11, tel. 28387676, U-Bahn: Oranienburger Tor*

Riva [99 E2]

Dit was al snel na de opening een van de meest toonaangevende bars. Interieur in de stijl van rond 1900. *Dag. vanaf 18.00 uur, Mitte, Dirksenstrasse, S-Bahnboog 142, tel. 24722688, S-Bahn: Hackescher Markt*

CLUBS

Akba Lounge [105 D4]

Ga achter de bar de trap op en u vindt een club met veel sfeer, acid jazz, soul en pop. *Vanaf 18.00 uur, Prenzlauer Berg, Sredzkistrasse 64, tel. 4411463, U-Bahn: Eberswalder Strasse*

Clärchens Ballhaus [99 D1]

Aan de muren hangen tekeningen van Zille, op het toneel staat een combo oude schlagers te spelen. Traditioneel danslokaal, ook voor *singles* een aanrader. *Ma, vr en za vanaf*

19.30 uur, Mitte, Auguststrasse 24, tel. 2829295, S-Bahn: Hackescher Markt, U-Bahn: Oranienburger Tor

El Barrio [115 E2]

De salsa- en tangocultuur is ongewoon veelzijdig in Berlijn, maar hier is de sfeer het authentiekst. *Di–zo vanaf 20.00 uur, Tiergarten, Potsdamer Strasse 82, tel. 2621853, U-Bahn: Kurfürstenstrasse*

Grüner und Roter Salon [111 D1]

Party's, *swinging ballroom, noche de tango* en nog veel meer, in de Volksbühne. *Mitte, Rosa-Luxemburg-Platz, tel. 24065807 en 30874806, U-Bahn: Rosa-Luxemburg-Platz*

Kalkscheune [110 A2]

★ Op deze locatie is veel te beleven: tango's, live optredens en dj's, maar bovenal: op zondagochtend Dr. Seltsams Frühschoppen en later die dag Tanja's Nachtcafé. *Programma 20.30–22.30 uur, Mitte, Johannisstrasse 2, tel. 28390065, S-Bahn: Friedrichstrasse, U-Bahn: Oranienburger Tor*

Knaack-Club Berlin [105 E5]

🏃 Het is hier net als vroeger in Kreuzberg: zwarte kleding, punkkapsels, bier uit flesjes, maar wel ultramoderne muziek. De bands zijn vaak heel goed en de disco in de kelder is bijna altijd stampvol. *Vr, za vanaf 21.00 uur, ma vanaf 20.00 uur ka-*

Marco Polo-aanraders
Uitgaan

★ **Berliner Ensemble**
In de traditie van Brecht en Heiner Müller (bladzijde 81)

★ **Deutsche Oper Berlin**
Fraaie klanken vanaf het toneel, maar het budget is beperkt (bladzijde 71)

★ **Staatsoper Unter den Linden**
Pracht en praal van de voormalige 'Königliche Hofoper' (bladzijde 72)

★ **Filmkunst 66**
Cultbioscoop voor cultfilms (bladzijde 77)

★ **Kalkscheune**
Achter het Friedrichstadtpalast gebeurt altijd wel iets bijzonders (bladzijde 73)

★ **Friedrichstadtpalast**
De mooiste vrouwen uit de vijf nieuwe deelstaten (bladzijde 79)

★ **Grips-Theater**
Veel meer dan alleen maar jeugdtheater (bladzijde 81)

★ **Philharmonie**
Topconcerten, ook zonder meester Karajan (bladzijde 79)

★ **Quasimodo**
De beste jazz hoort u in de Delphi-Keller (bladzijde 75)

★ **Bar jeder Vernunft**
Kleinkunst op een prachtige locatie (bladzijde 79)

Zwieren in de Grüne Salon

raoke, *Prenzlauer Berg, Greifswalder Strasse 224, tel. 4427060, bus
100, tram 24, 28, 58*

Maria am Ostbahnhof [0]

🏃 Live concerten, underground
muziek, dj's, variété en lezingen in
grote zalen. Voor elk wat wils. *Friedrichshain, Strasse der Pariser Kom-
mune 8–10, tel. 29006198, S-Bahn:
Ostbahnhof*

Oxymoron [99 E2]

Disco in de kelder van een luxe
restaurant. Iedere eerste dinsdag
van de maand *Pasta Opera:* teno-
ren en spaghetti. *Disco di–zo vanaf
22.00 uur, Mitte, Rosenthaler
Strasse 40 in de Hackesche Höfe,
tel. 28391885, S-Bahn: Hackescher Markt*

Sage Club [99 F6]

Dansen tot u niet meer kunt: funk,
house enzovoort. *Do–zo vanaf
22.00/23.00 uur, tel. 2789830,
Mitte, in het U-Bahnhof: Heinrich-
Heine-Strasse*

90 Grad [115 E2]

Deze gerenoveerde club trekt een
chic publiek; niet iedereen wordt
toegelaten. *Do–za vanaf 23.00 uur,
Tiergarten, Dennewitzstrasse 37,
tel. 2628984, U-Bahn: Gleisdreieck*

JAZZ EN ROCK

In de Duitse hoofdstad is zo goed als
iedere stijl vertegenwoordigd, dank-
zij vele duizenden amateurs, hon-
derden semi-profs en, helaas, niet al
te veel Berlijnse topmuzikanten. Gelukkig reizen de beste muzikanten
naar Berlijn voor de kelderconcerten,
'Jazz in July', 'Jazz Fest' en tal van
andere evenementen in de Waldbühne, het ICC of in de Passionskir-
che. Een enthousiast publiek van ken-
ners maakt van ieder concert een
onvergetelijke gebeurtenis.

A Trane [96 B3]

Prettige jazzclub. Met nationale en
internationale optredens. *Dag. vanaf
21.00 uur, Charlottenburg, Pestalozzistrasse 105, tel. 3132550,
S-Bahn: Savignyplatz*

Badenscher Hof [114 A4]

Moderne jazz en mainstream.
*Ma–vr 17.00–1.00, za 18.00–3.00
uur, Schöneberg, Badensche Strasse 29, tel. 8610080, U-Bahn: Blissestrasse*

Blisse 14 [113 F4]

In dit café met faciliteiten voor ge-
handicapten geniet u 's zondags van

jazz. Voordelig buffet. *Zo 11.00–14.00 uur; Wilmersdorf, Blissestrasse 14, tel. 8212079, U-Bahn: Blissestrasse*

Cox Orange [99 E2]
Hier wordt op woensdag gejamd. *Wo vanaf 21.00 uur; Mitte, Dirksenstrasse 40, tel. 2810508, S-Bahn: Hackerscher Markt*

Eierschale Zenner [O]
Doordeweeks pop en rock, in het weekend dixieland. Altijd vol, prettig publiek. In de biertuin kunt u even op adem komen. *Dag. vanaf 9.00 uur; Treptow, Alt-Treptow 14–17, tel. 5337370, S-Bahn: Treptower Park*

Junction Bar [116 B3]
Dagelijks live optredens (jazz, funk, soul, rock). *Kreuzberg, Gneisenaustrasse 18, tel. 6946602, U-Bahn: Gneisenaustrasse*

Kleine Weltlaterne [113 D2]
Op zaterdag, maar ook wel eens op andere dagen jazz uit New Orleans. *Wilmersdorf, Nestorstrasse 22, tel. 8926585, U-Bahn: Adenauerplatz*

Preussisches Landwirtshaus [O]
Iedere eerste dinsdag van de maand komen de beste jazzmuzikanten van Berlijn hier bijeen voor een jamsessie. *Charlottenburg, Flatowallee 23, S-Bahn: Olympiastadion*

Quasimodo [97 D4]
★ Nog altijd de belangrijkste jazztent van Berlijn. Hier treden de beste musici op en het is dan ook meestal stampvol. *Dag. vanaf 21.00 uur; programma vanaf 22.00 uur;* *Charlottenburg, Kantstrasse 12a, tel. 3128086, U-Bahn: Zoologischer Garten*

Politieke cabarets hebben het moeilijk: de DDR bestaat niet meer, de meeste vooraanstaande politici zijn er al veel te lang, de gevestigde West- en Oost-Berlijnse cabaretiers zelfs nog langer. En schelden op de Duitse hereniging is ook niet leuk meer. De felle, jonge, niet-gevestigde hekelaars in Mitte en Kreuzberg zijn veel leuker.

Bellevue Galerie [108 B3]
Knus theater in de sfeer van de jaren twintig. Een leuk adres voor kamerconcerten, liederen, cabaret en kindertheater. *Dag. vanaf 15.00 uur; Tiergarten, Flensburger Strasse 11–13, tel. 3922561, U-Bahn: Hansaplatz*

BKA en BKA Luftschloss
Hier zetelt niet het Bundeskriminalamt, maar de Berliner Kabarett-Anstalt. Vrije groepen uit alle windstreken vinden hier onderdak [116 A2–3] *Kreuzberg, Mehringdamm 32–34, tel. 2510112, U-Bahn: Mehringdamm; Zelt:* [109 E5] *Tiergarten, Scharounstrasse, U- en S-Bahn: Potsdamer Platz, bus: 129, N 5, N 29*

Die Distel [98 C2]
Tot aan de omwenteling mocht dit gerenommeerde Oost-Berlijnse cabaret de beer hoogstens een keer aan z'n pels trekken, maar alleen op plaatsen waar het geen pijn deed. Tegenwoordig zouden ze hem echter het liefst villen. Maar ook voor Wessies is er vermaak, bijvoorbeeld

het Kom(m)ödchen. *VVK: ma–vr 12.00–14.00, 15.00–18.00, za, zo vanaf 16.00 uur, Mitte, Friedrichstrasse 101, tel. 2044704, U- en S-Bahn: Friedrichstrasse*

Stachelschweine [97 E4–5]

De stekels van deze stekelvarkens werden gescherpt aan de Muur en het prikkeldraad en verder was dit cabaret vooral erg Berlijns, altijd vrolijk en een beetje lawaaierig. De enige plaats na de hereniging waar ze Honecker echt missen. *Charlottenburg, Tauentzienstrasse (in het Europa Center), tel. 2614795, U-Bahn: Zoologischer Garten*

Tip ### Ufa-Fabrik [O]

🏃 De inmiddels niet meer zo jonge baas van dit alternatieve woon-, werk- en cultuurcollectief heet Juppie. Hij zorgt dat er altijd iets leuks te doen is. Het aanbod loopt uiteen van kindercircus, variété, kleinkunst, cabaret en jazz-goeroes tot Tai-Chi-groepen en nog veel meer. *Tempelhof, Viktoriastrasse 13, tel. 755030, U-Bahn: Ullsteinstrasse*

Een stad in het klein: de Ufa-Fabrik

Berliner Figurentheater [115 E3]

🏃 *Kreuzberg, Yorckstrasse 59, tel. 7869815, U-Bahn: Yorckstrasse*

Hans Wurst Nachfahren [115 D2]

🏃 *Schöneberg, Gleditschstrasse 5, ingang Winterfeldplatz, tel. 2167925, U-Bahn: Nollendorfplatz, bus: 119*

Puppentheater-Museum [117 F6]

Neukölln, Karl-Marx-Strasse 135, tel. 6878132, U-Bahn: Karl-Marx-Strasse

Schaubude Puppentheater [105 F3]

Prenzlauer Berg, Greifswalder Strasse 81–84, tel. 4234314, S-Bahn: Greifswalder Strasse

Zaubertheater Igor Jedlin [107 D6]

🏃 *Charlottenburg, Roscherstrasse 7, tel. 3233777, U-Bahn: Adenauerplatz*

BIOSCOPEN

De bioscoopwereld van Berlijn is niet alleen in februari tijdens de Berlinale een bonte mengeling. Voor de fans van bioscoop en film is uitstekend gezorgd, van de reusachtige nieuwe bioscoopcentra via de première-bioscopen aan de Kurfürstendamm tot aan het Filmkunsttheater. Bij kassuccessen zijn de bioscopen vaak uitverkocht, vooral in het weekeinde en op de goedkopere 'Kinotagen' (KT). Bij de meeste theaters kunt u niet reserveren; alleen als u tijdig verschijnt bent u zeker van een goede plaats. Laat u zich niet misleiden door bekende namen; juist de beroemdste premièrebioscopen hebben hun zalen met een aantal 'schoenendozen' uitgebreid, waar maar weinig (en slechte) zitplaatsen zijn. Ga naar www. kinokompendium.de voor een virtuele rondleiding langs de bioscopen van Berlijn.

Arsenal [98 A5]
Oude films, filmkunst, filmcycli. Gehuisvest in het nieuwe Sony-complex. *Tiergarten, Potsdamer Strasse 2, tel. 26955100, U- en S-Bahn: Potsdamer Platz*

Cinema Paris [96 C5]
Première-bioscoop aan de Kurfürstendamm. *KT: di en wo, Charlottenburg, Kurfürstendamm 211, tel. 8813119, U-Bahn: Uhlandstrasse, bus 109, 119, 129, 219*

CinemaxX Potsdamer Platz [98 A5]
Een van de nieuwste aanwinsten: een groots opgezette bioscoop met maar liefst 19 zalen. *Tiergarten, Potsdamer Platz, tel. 44316316, U- en S-Bahn: Potsdamer Platz*

CineStar in het Sony Center [98 A5]
Multiplex met acht zalen, waaronder het IMAX Discovery Channel met steeds wisselende 3D-films. De bioscoop voor mensen die alleen met de nieuwste technische snufjes genoegen nemen. *Tiergarten,*

Marlene-Dietrich-Platz 4, tel. 26066260, U- en S-Bahn: Potsdamer Platz, bus 142, 248, 348

Delphi [97 D4]
Een grote bioscoop waar niet alleen de nieuwste producties te zien zijn, maar soms ook cultfilms. *Charlottenburg, Kantstrasse 12a, tel. 3121026, U- en S-Bahn: Zoologischer Garten*

Filmbühne am Steinplatz [96 C3]
Bioscoop met art-films; interessant programma en een aan te bevelen café. *KT: ma, Charlottenburg, Hardenbergstrasse 12, tel. 3129012, U-Bahn: Zoologischer Garten, bus 145, 149, 245*

Filmkunst 66 [96 B4]
★ Met naast het actuele filmaanbod ook bijzondere cultfilms. *KT: ma–wo, Charlottenburg, Bleibtreustrasse 12, tel. 8821753, S-Bahn: Savignyplatz, bus 109, 119, 129, 219*

fsk am Oranienplatz [117 D2]
Hier toont men veel films in de originele taal. *KT: ma–di, Kreuzberg, Segitzdamm 2, tel. 6142464, U-Bahn: Kottbusser Tor, bus 129, 140, N8, N29*

Hackesche Höfe [99 E2]
KT: di–wo, Rosenthaler Strasse 40/41, tel. 2834603, S-Bahn: Hackescher Markt

International [111 E3]
Mooie, grote première-bioscoop in het centrum van de stad. *KT: di–wo, Mitte, Karl-Marx-Allee 33/hoek Schillingstrasse, tel. 24756011, U-Bahn: Schillingstrasse*

Kant [107 E5]

🏃 Twee theaters, beide met een actueel programma. *KT: ma–wo, Charlottenburg, Kantstrasse 54, tel. 3125047, U-Bahn: Wilmersdorfer Strasse, bus 101, 137, 149, 316*

New Yorck/Yorck [116 A3]

🏃 Mooie, trendy bioscopen in Riehmers Hofgarten. *KT: di–wo, Kreuzberg, Yorckstrasse 86, tel. 78913240, U-Bahn: Mehringdamm, bus 119, 219*

Odeon [114 C5]

Hier worden alle films in de oorspronkelijke taal getoond. *KT: di–wo, Schöneberg, Hauptstrasse 116, tel. 78704019, U-Bahn: Innsbrucker Platz*

CONCERTEN

Het Berlijnse muziekleven bestaat niet alleen uit het Philharmoniker en het Sinfoniker. Er zijn talrijke kleinere ensembles, kamerorkesten, koren, solisten en natuurlijk veel gasten, want het is een uitdaging om voor Berlijns publiek op te treden, zelfs voor de grootste orkesten en musici ter wereld. Het Berliner Philharmoniker heeft het in het post-Karajan-tijdperk getroffen met zijn hoofddirigenten Claudio Abbado en Simon Rattle (sinds 2002).

Het Berliner Sinfonie-Orchester, dat z'n thuishaven heeft in het Schauspielhaus aan de Gendarmenmarkt, is onder leiding van zijn dirigent Vladimir Ashkenazy tot een topensemble uitgegroeid. Hij werd in 2000 opgevolgd door Kent Nagano. Naast deze twee grote concertgebouwen zijn er veel andere concertzalen, en ook in veel kerken en kastelen worden concerten georganiseerd, bijvoorbeeld in het slot Friedrichsfelde en in de zomermaanden op de Gendarmenmarkt en in de Waldbühne.

In juli zijn er in Berlijn de Bach-Tage en in de herfst afwisselend de dirigentenwedstrijd van de Karajanstichting en de ontmoetingen van de jeugdorkesten.

Een overzicht van de concerten vindt u in de *Führer durch die Konzertsäle Berlins (tel. 8825458)*.

Scharouns Philharmonie is een van de mooiste concertzalen ter wereld

Philharmonie en Kammermusiksaal [109 E4-5]

★ *Schöneberg, Matthäikirchstrasse 1, Grote Zaal tel. 25488–132, Kleine Zaal tel. 25488–232, VVK: ma–vr 15.00–18.00, za–zo 11.00– 14.00 uur, bus 129, 142, 148, 248*

Konzerthaus Berlin [98 C4]

In de stadsschouwburg. *Mitte, Gendarmenmarkt, VVK: ma–za 12.00– 18.00, zo en feestdagen 12.00– 16.00 uur, tel. 203092101/02, U-Bahn: Stadtmitte, Hausvogteiplatz*

NACHTCLUBS EN SHOWS

Bar jeder Vernunft [96 C6]

★ In de spiegeltent bij de stilgelegde oude Volksbühne treden sterren op als Max Raabe, Tim Fischer, Meret Becker en Ursli Pfister. *Wilmersdorf, Schaperstrasse 24, tel. 8831582, U-Bahn: Spichernstrasse*

Chamäleon [99 E2]

Het gebouw alleen is al spannend: de prachtig gerestaureerde Hackesche Höfe met Jugendstilfaçaden en oude danszaal met variétébühne. De show is weliswaar niet altijd even perfect, maar wel altijd grappig. *Mitte, Rosenthaler Strasse 40/41, tel. 2827118, S-Bahn: Hackescher Markt, U-Bahn: Weinmeisterstrasse*

Friedrichstadtpalast [98 C1]

★ In een nieuw gebouw aan een nieuw plein worden niet alleen professionele, wervelende revues en opwindende *nightshows* gegeven, maar ook revues voor kinderen. *Mitte, Friedrichstrasse 107, tel. kassa 23262326, informatie tel. 23262203, U- en S-Bahn: Friedrichstrasse*

In de sfeervolle Bar jeder Vernunft

Kulturbrauerei [105 D4]

Sinds de verbouwing een veelzijdig amusementscentrum met theater, multiplexbioscoop, feest in de oude kantine, muziek in het ketelhuis, biertuin, sushibar, supermarkt en een populaire club in het Soda. *Prenzlauer Berg, Knaackstrasse 97, tel. 4419270, U-Bahn: Eberswalder Strasse*

Tränenpalast [98 C2] Tip

Iedereen die nog één keer wil meemaken hoe het voelt om een DDR-migrant te zijn, moet hier naartoe. In een oude fabriekshal bij station Friedrichstrasse vindt u disco, techno, salsa, beroemdheden, modeshows en feesten. *Mitte, Friedrichstrasse, hoek Reichstagsufer, tel. Ticketline 20610011, U-Bahn: Friedrichstrasse*

Joden in Berlijn

De joodse gemeenschap heeft zich sinds de Tweede Wereldoorlog enigszins hersteld

In 1933 woonden er zo'n 170.000 joden in Berlijn, vijf procent van de bevolking. Velen wisten Duitsland tijdig te verlaten, maar ongeveer 50.000 Berlijnse joden werden door de nazi's gedeporteerd en vermoord; sommige konden bij andere Berlijners onderduiken. Tegenwoordig wonen er ongeveer 12.000 joden in Berlijn, en hun aantal groeit gestaag, vooral door immigratie uit Oost-Europa. In de nadagen van de DDR had de joodse gemeente in Oost-Berlijn slechts 200 leden, maar juist daar, rond de Oranienstrasse, zijn weer joodse instellingen verrezen: synagoge, Centrum Judaicum, Volkshochschule, Knabenschule, Restaurant Oren, Beth Café enzovoort. Gebleven zijn enkele joodse begraafplaatsen, een paar synagogen en de invloed van het Hebreeuws op de taal: *Massel, vermasseln, Schlamassel, koscher, meschugge, Mischpoche, Knast, Pinke, pleite, Schmiere stehen, ausbaldovern* en *Daffke* – de Berlijners weten niet altijd waar deze woorden uit hun vocabulaire vandaan komen.

Wintergarten Varieté   [109 E6]
De dromer André Heller, de circusfanaat Bernhard Paul en de cultureel manager Peter Schwenkow hebben de Wintergarten weer tot leven gewekt. Het publiek klapt enthousiast voor het variété dat hier gebracht wordt. De professionele artiesten spelen steevast voor een uitverkochte zaal. *Tiergarten, Potsdamer Strasse 96; tel. 25008888, U-Bahn: Kurfürstenstrasse*

AVANT-GARDETHEATER

De wereld van het niet-commerciële theater verandert voortdurend en dat maakt het nog spannender. Lees voor actuele informatie *tip* of *Zitty*.

Friends of Italian Opera [116 A4]
Engelstalige groepen van uitstekende kwaliteit. *Kreuzberg, Fidicinstrasse 40, tel. 6911211, U-Bahn: Platz der Luftbrücke*

Hackesches Hof-Theater   [99 E2]
Hier bent u aan het juiste adres voor bijzondere stukken, buitenlandse groepen en joods theater. *Mitte, Rosenthaler Strasse 40/41, tel. 2832587, S-Bahn: Hackescher Markt*

Kleines Theater   [114 A6]
Cabaret, toneelstukken, erotische shows: men vindt het hier allemaal even prachtig. *Schöneberg, Südwestkorso 64, tel. 8213030, U-Bahn: Bundesplatz*

Ratibor-Theater   [0]
Dit is een gevestigd avant-gardetheater in Kreuzberg. *Kreuzberg, Cuvrystrasse 20, tel. 6186199, U-Bahn: Schlesisches Tor*

Theater am Ufer/
Teatr Kreatur [115 F2]

Andrej Woron maakt theater voor oog en oor: kleurrijk, fantasievol en altijd opwindend. *Kreuzberg, Tempelhofer Ufer 10, tel. 2513116, U-Bahn: Möckernbrücke*

Theater zum westlichen
Stadthirschen [115 F4]

In dit theater worden de rollen met enthousiasme vertolkt. *Kreuzberg, Kreuzbergstrasse 37, tel. 7857033, U-Bahn: Yorckstrasse*

Vagantenbühne [97 D4]

Jonge schrijvers, maar ook hele oude: Shakespeare bijvoorbeeld, of de Odyssee in beknopte vorm – altijd de moeite waard. *Charlottenburg, Kantstrasse 12a, tel. 3124529, U- en S-Bahn: Zoologischer Garten*

THEATER

Berliner Ensemble [98 C2]

★ Hier beleefde de *Dreigroschenoper* zijn première. Lange tijd was het programma gewijd aan Bertolt Brecht, maar nu komen ook moderne stukken aan bod. *Mitte, Bertolt-Brecht-Platz, VVK: ma–za 8.00– 18.00, zo en feestdagen 11.00– 18.00 uur, tel. 28408155, U-Bahn: Friedrichstrasse*

Deutsches Theater [98 B1]

Het Deutsches Theater houdt de klassieken in ere. De naastgelegen *Kammerspiele* fungeren als experimenteel theater, een rol die werd overgenomen van de opgeheven *Baracke. Mitte, Schumannstrasse 10/13a, VVK: ma–za 11.00–19.30, zo en feestdagen 15.00–19.30 uur, tel. 28441225, U-Bahn: Friedrichstrasse*

Grips-Theater [97 F1]

★ ☂ Volker Ludwig, theaterdirecteur en auteur, heeft Grips met Linke Geschichte en Linie 1 tot een instituut gemaakt. *Tiergarten, Altonaer Strasse 22, VVK: avondvoorstelling tel. 39747477, middagvoorstelling tel. 3974740, U-Bahn: Hansaplatz*

Komödie/Theater am
Kurfürstendamm [96 C5]

Boulevardkomedies van vooral Britse herkomst met populaire Berlijnse acteurs, zoals Wolfgang Spier en Michèle Marian. *Charlottenburg, Kurfürstendamm 206, tel. 47997440, U-Bahn: Uhlandstrasse*

Maxim Gorki Theater [99 D3]

Hier worden niet alleen Russische klassieken opgevoerd, maar ook Amerikaanse en Duitse. *Mitte, Am Festungsgraben 2, VVK: ma–za 13.00–18.30, zo 15.00–18.30 uur, tel. 202221115, U-Bahn: Friedrichstrasse, S-Bahn: Hackescher Markt.*

Renaissance-Theater [96 C3]

Degelijk privé-theater met beproefd repertoire. *Charlottenburg, Hardenbergstrasse 6, tel. 3124202, U-Bahn: Ernst-Reuter-Platz*

Schaubühne [113 D2]

Nog altijd goed, hoewel de reputatie onder het uiteenvallen van het gezelschap heeft geleden. Toch is er hoop voor de toekomst. *Wilmersdorf, Kurfürstendamm 153, tel. 890023, U-Bahn: Adenauerplatz*

Volksbühne [111 D1]

Politiek en provocerend. *Mitte, Rosa-Luxemburg-Platz, VVK: 12.00– 18.00 uur, tel. 2476772, U-Bahn: Rosa-Luxemburg-Platz*

Potsdam is niet alleen Sanssouci

Tijdens uw verblijf in Berlijn mag u een bezoek aan de residentie van de Pruisische vorsten niet overslaan

De meeste mensen die Berlijn bezoeken, maken ook een uitstapje naar Potsdam. De oude residentie van de Pruisische koningen ligt te midden van een prachtig merengebied en is er sinds het einde van het DDR-tijdperk sterk op vooruit gegaan. Beschadigde bezienswaardigheden als het Belvedere zijn ondertussen hersteld, de Hollandse Wijk is opgeknapt, veel fraaie woonhuizen en villa's zijn gerestaureerd, er zijn veel restaurants geopend en gasten kunnen overnachten in enkele zeer goede hotels. In 2001 werd in Potsdam de Bundesgartenschau gehouden.
Er is echter nog heel veel werk te verzetten en de gemeentekas is zo goed als leeg. Potsdam, de stad die in 1993 zijn 1000-jarige jubileum vierde, is tijdens een luchtaanval in de laatste dagen van de oorlog ernstig beschadigd. Maar ook de sloop van het beschadigde Stadtschloss en de torens van de Garnisonkirche, waartoe besloten werd door het DDR-regime, en de verwaarlozing van hele wijken, hebben het stadsbeeld geen goed gedaan.

Friedrich verbleef het allerliefst in het paleisje op de Weinberg

BINNENSTAD

Alexandrowka [119 D–E2]
Dit is de naam van de verzameling Russische houten huizen die in 1826 voor twaalf Russische zangers zijn gebouwd. Ze waren door het Pruisische leger gevangengenomen en bij een van de regimenten ingedeeld. Drie huizen zijn nog in handen van de nakomelingen van de koorleden. Ten noorden van de nederzetting, op de Kapellenberg, staat de Kapelle des Heiligen Alexander Newski en een houten woning voor de kerkoudsten.

Alter Markt [119 E5]
Op de plek waar tegenwoordig een tijdelijk theatergebouw staat aan een drukke kruising, bevond zich in de 13de eeuw een burcht. Sinds 1662 stond er het Stadtschloss, dat in de jaren 1744–1752 door Knobelsdorff werd verbouwd. Tijdens de oorlog raakte het ernstig beschadigd. Het slot werd hersteld, maar is in 1960 toch gesloopt. Er is besloten het slot te herbouwen (het Fortunaportal is al weer als zodanig te herkennen).
Ook het Alte Rathaus (Boumann, Hildebrandt 1753–1755) en het Knobelsdorffhaus uit 1750 worden

herbouwd. Knobelsdorff ontwierp ook de obelisk. Aan het marktplein staat de Nikolaikirche (Schinkel, Persius, Stüler 1830–1850), naar het voorbeeld van de St. Paul's Cathedral in Londen.

Holländisches Viertel [119 E4]

Deze wijk, ten noorden van de Bassinplatz, werd tussen 1732 en 1742 gebouwd voor Hollandse immigranten. Er kwamen echter minder handwerkslieden uit Holland dan men had verwacht. Een deel van de 134 huizen, die naar Nederlands voorbeeld waren gebouwd, werd daarom betrokken door soldaten of hun weduwen. De Hollandse Wijk, die in de afgelopen jaren is gerestaureerd, behoort nu tot de mooiste delen van Potsdam. U vindt in deze wijk interessante winkels en gezellige cafés.

Marstall [119 E5]

De Marstall is destijds gebouwd als oranjerie en werd later verbouwd tot stal voor rijpaarden (Nehring 1685, Knobelsdorff 1746). Vroeger stond het gebouw via een zuilengalerij in verbinding met het gesloopte Stadtschloss, waarvan de resten zich onder Hotel Mercure bevinden. Het gebouw herbergt nu het Filmmuseum en een leuk café.

Tip Neuer Markt [119 E5]

Achter de Marstall begint de Neue Markt, met daaraan het Kabinettshaus (1753), waar Frederik Willem III het levenslicht zag, het koetshuis (1787) en de voormalige Ratswaage (1875). Langzamerhand wordt dit weer het mooiste plein van Potsdam. In het koetshuis is het museum voor Brandenburgs-Pruisische geschiedenis ondergebracht.

PARK EN SLOT SANSSOUCI

★ [118 A–C 3–4] Het park van Sanssouci bereikt u via de Luisenplatz, over de Strasse Am Grünen Gitter, door de Marlygarten en langs de fraaie Friedenskirche (Persius 1845–1854), of via het Obeliskportal ten noorden van de Luisenplatz, die toegang geeft tot de 2,5 km lange Hauptallee. Het bouwwerk werd in 1747 door Knobelsdorff ontworpen. Hij maakte al in 1740 een vergelijkbare poort in Rheinsberg, waar Frederik II de fijnste periode van zijn leven doorbracht. Het slot moest hem doen denken aan deze zorgeloze tijd *(sans souci)*. Hij wilde net zo gelukkig zijn in zijn paleisje op de Weinberg, zoals hij de voormalige Wüsten Berg liet noemen.

Veel gebouwen hier stammen uit de tijd van Frederik II: Sanssouci, de Neue Kammern, de Bildergalerie, het Neues Palais, het Belvedere, het Chinesisches Teehaus, het Drachenhaus en de tempels, beelden

Het Chinesisches Teehaus

en fonteinen. De Charlottenhof, de Römische Bäder, de Friedenskirche (waar Frederik Willem IV begraven is) en de oranjerie stammen uit de tijd van Frederik Willem IV.

Charlottenhof [118 B5]

Het landgoed dat de kunstzinnige kroonprins, de latere Frederik Willem IV, van zijn vader Federik Willem III gekregen had, werd in 1826 door Schinkel verbouwd tot een Romeinse villa. Het bescheiden en in classicistische stijl vormgegeven gebouw is het enige slot in Potsdam waarvan de originele inrichting nog intact is. De sprookjesachtige sfeer in de hal wordt veroorzaakt door een blauw venster met sterren, dat Schinkel inspireerde tot zijn beroemde decor voor Mozarts *Zauberflöte*. De hermen (beelden op een rechthoekige sokkel) in het groen voor het slot omvatten beelden van Goethe, Schiller, Herder, Wieland, Ariosto, Tasso, Dante en Petrarca.

Klausberg [118 A3]

De Triumphstrasse, die Frederik Willem IV op de Klausberg (aan weerszijden van de Maulbeerallee) liet aanleggen, is een verwijzing naar de Renaissance. De weg moest het Belvedere (Unger 1770–1772, niet te verwarren met het Belvedere op de Pfingstberg) verbinden met de gerestaureerde historische molen bij Sanssouci. De stijl van de grote oranjerie (Persius, Stüler 1851–1862) doet denken aan de Villa Medici in Rome en de Uffizi in Florence. In de Rafaëlzaal met 67 replica's van oude meesters en vanaf de 🔼 toren hebt u een mooi uitzicht. Voor een kop koffie kunt u terecht bij de molen of bij het nabijgelegen Drachenhaus (Gontard 1770), dat evenzeer laat zien hoe de Rococo gericht is op Azië als het interieur van het Chinesisches Teehaus (1754–1757) in het park van Sanssouci.

Neues Palais [118 A4]

Na de Zevenjarige Oorlog wilde Frederik met de bouw van een paleis laten zien dat Pruisen nog veerkracht had en liet daarom tussen 1763 en 1769 door Büring, Manger en Gontard het Neue Palais bouwen. De weelderige *Communs* die werden toegevoegd, dienden als onderkomen voor de hofhouding en ontnamen bovendien het uitzicht op het nogal troosteloze landschap erachter.

Het Neue Palais telt maar liefst 200 vertrekken en op het dak staan niet minder dan 500 beelden – een bezoekende generaal merkte ooit spottend op: 'het is er nog drukker dan op straat'. De Grottensaal, die wordt beschouwd als het mooiste vertrek, wordt opgesierd door meer dan 20.000 edel- en halfedelstenen, schelpen, fossielen en mineralen. In een decoratie met kwarts is een steen van de top van de Kilimanjaro verwerkt, die in 1890 door ontdekkingsreizigers werd meegenomen. Op een andere plek zijn twee stukjes marmer te zien waarop keizerin Auguste Viktoria heeft geschreven: 'Akropolis 27. Oktober 1889'. Sla tijdens uw bezoek vooral de Marmorsaal en het prachtige Schlosstheater niet over.

Römische Bäder [118 B5]

De Romeinse Baden zijn tussen 1829 en 1840 door Schinkel en Persius gebouwd, op basis van het ontwerp van een Italiaans landhuis uit de 15de eeuw. Op de vloer van het badhuis is een replica te zien van het Alexandermozaïek in Pompeji. De waterspuwer in de vorm van een grote vis (een bot) links van de ingang is een creatie van Ch. D. Rauch. Het is een verwijzing naar

Frederik Willem IV, die vanwege zijn postuur ook wel 'de bot' werd genoemd.

Slot Sanssouci [118 C4]

Het slot, dat Knobelsdorff tussen 1745 en 1747 bouwde aan de hand van schetsen van de koning, bevat 12 vertrekken: een grote zaal, een ontvangstruimte, een muziekkamer, een werk- annex slaapkamer (hij zou hier ook sterven), een bescheiden bibliotheek en logeerkamers. In de Marmorsaal vonden vergaderingen plaats waarvoor Frederik gesprekspartners uit verschillende landen uitnodigde – Adolf Menzel heeft eens zo'n bijeenkomst op een schilderij vereeuwigd. Voltaire, die van 1750 tot 1753 in Potsdam woonde, was regelmatig te gast in het slot. In een brief schreef hij: 'Er zijn onvoorstelbaar veel bajonetten, maar slechts weinig boeken. De koning heeft veel aandacht voor Sparta, maar heeft Athene alleen in zijn werkkamer toegelaten.'

In de 'bescheiden' bibliotheek van Frederik stonden niettemin 2200 boeken in de kast. De ramen boden uitzicht op de graftombe die hij al had laten bouwen voor het paleis voltooid was (hij was toen 32 jaar oud). Zijn windhonden zijn er begraven. De koning vond hier pas in 1991 zijn laatste rustplaats, na omzwervingen via de Garnisonkirche en Hechingen, de residentie van de familie Hohenzollern.

Rechts van het slot (vanuit de tuin gezien) staat de Bildergalerie (Büring 1753–1755), het eerste museum van Europa. De Neuen Kammern (Knobelsdorff 1747/Unger 1774) aan de linkerkant zijn oorspronkelijk gebouwd als oranjerie, maar deden dienst als gastenverblijf.

[119 E–F2] Frederik Willem II, de neef van 'Großen Friedrich', nam letterlijk en figuurlijk afstand van zijn weinig geliefde oom en Potsdam. Zodra hij koning geworden was, liet hij aan het meer het Marmorpalais bouwen. Het is in de Neue Garten minder druk dan bij Sanssouci en u kunt er heerlijk wandelen. Er zijn enkele bijzondere dingen te zien: het Küchenhaus, in de vorm van een half in het water staande Marstempel, die via een ondergrondse tunnel met het Marmorpalais in verbinding staat, de ijskelder in de vorm van een Egyptische piramide (1791), de oranjerie van Langhans (1790) met een Egyptisch portaal en een sfinx, de obelisk van Langhans, het complex van cavaleristenhuizen, stallen en loodsen dat het Holländisches Etablissement wordt genoemd. Aan de zuidzijde van de Heilige See staat de door Langhans ontworpen Gotische Bibliotheek.

Cecilienhof [119 F1]

Dit is het nieuwste paleis van de Hohenzollerns. Het werd tijdens de Eerste Wereldoorlog, tussen 1914 en 1917, gebouwd voor kroonprins Wilhelm en zijn echtgenote Cecilie, wier privé-vertrekken weer voor het publiek geopend zijn. In de zomer van 1945 werd hier de Conferentie van Potsdam gehouden. Ook de vergaderruimte en de werkkamers van Truman, Stalin en Churchill, die later werd vervangen door Attlee, kunnen worden bezichtigd. Het slot, dat in totaal 176 kamers en 55 verschillende schoorstenen telt, herbergt een luxueus hotelrestaurant.

Marmorpalais [119 F2]

Het paleis werd tussen 1787 en 1792 door Gontard gebouwd. Het interieur werd vormgegeven door Langhans, de architect van de Brandenburger Tor in Berlijn. Hier begon het Neoclassicisme in Pruisen.

BABELSBERG

Babelsberger Park [0]

Rijd niet vanuit Berlijn rechtstreeks naar Potsdam, maar stap vlak voor de Glienicker Brücke eventjes uit. Loop links langs Jagdschloss Glienicke door een dorpje met een kerk van Persius, over een smalle brug het park in. U kunt een wandeling maken door het park of langs de oever van de Tiefen See tegenover Potsdam.

Aan de oever staat een machinehuis (Persius 1843–1845), op de heuvel ziet u het neogotische slot dat in 1834 door Schinkel werd gebouwd voor prins Willem en dat enkele jaren later door Persius en Strack werd uitgebreid. Lenné en Fürst von Pückler-Muskau ontwierpen het park. Ze hebben een sprookjes-achtig geheel gecreëerd: een Neuschwanstein op zijn Pruisisch, dus iets soberder.

De Neogotiek speelt ook een belangrijke rol bij het keukengebouw achter het slot (1844–1849), bij het Matrosenhaus (1842), de Marstall (1842), en ook een beetje bij de ☙ *Flatowturm*, die is geïnspireerd op de Eschenheimer Tor in Frankfurt am Main, en bij het *Kleine Schloss* (1842), waar de hofdames verbleven en waar nu een café gevestigd is. Op de Lennéhöhe ziet u de gotische Gerichtslaube (gerechtsgebouw) uit de 13de eeuw, die moest wijken voor de bouw van het Rote Rathaus in Berlijn en in 1871 naar deze plek werd overgebracht.

Filmpark Babelsberg [0]

🏃 In de studio's worden al sinds 1912 films opgenomen. Het publiek verveelt zich hier niet: men ziet hier onder meer stuntmannen in actie en actiefilms. Ook rondleidingen door de rekwisietenloods. *Maart–okt. dag. 10.00–18.00 uur, Grossbeerenstrasse, tel. 0331/ 7212750, bus: 690, 692*

Het Kleine Schloss of 'Damenhaus' in het Babelsberger Park

Sanssouci, Neues Palais, Cecilienhof, Marmorpalais, Schloss Babelsberg april–okt. 9.00–17.00, nov.–
maart 9.00–16.00 uur; Neues Palais
vr, alle andere paleizen ma gesloten,
Marmorpalais en Schloss Babelsberg
vanaf 10.00 uur en 's winters alleen
op za en zo geopend. Bildergalerie,
Charlottenhof, Chinesisches Teehaus, Dampfmaschinenhaus (moskee), Neuen Kammern, oranjerie,
Römische Bäder alleen 15 mei–15
okt. 10.00–17.00 uur, ma gesloten,
moskee alleen za en zo geopend,
Neuen Kammern en oranjerie ook
1 april–14 mei za en zo 10.00–
17.00 uur. Tweedaagse pas, te koop
voor 10 euro, geeft toegang tot alle
paleizen. Toegangsprijs per paleis:
1–8 euro.
*Bezoekerscentrum bij de historische
molen* **[118 C4]**, *Maulbeerallee, tel.
0331–9694-200 en -201, informatie
-203 en -204, informatie Sanssouci
-202, concertinformatie: kasteel-
nacht, tel. 9694-200; hofconcerten,
tel. 245609; muziekfestivals, tel.
2888828*

Tip

MUSEA

Dampfmaschinenhaus   **[118 C5]**
Persius werkte in 1841 en 1842 aan
dit gebouw, dat eruitziet als een
moskee, met een schoorsteen in de
vorm van een minaret. Binnen ziet
u een 150 jaar oude stoommachine
van Borsig, die tot 1894 het water
voor de fonteinen van Sanssouci
rondpompte. *Zeppelinstrasse 176*

Filmmuseum   **[119 E5]**
In de Marstall zijn rekwisieten van
Ufa en Defa, oude filmapparatuur

en een bioscoop ondergebracht.
Aan de oostzijde een leuk café. *Di–
zo 10.00–18.00 uur, Breite Strasse*

*Bistro van het Filmmuseum in de
Marstall*

Potsdam-Museum   **[119 D5]**
De tentoonstellingen over de geschiedenis van Potsdam en over de
natuur en het landschap van de
Havelvallei zijn ondergebracht in
het Ständehaus (Unger 1770). In de
Hiller-Brandtschen Häusern (Unger
1769) aan de overzijde, waarvan
het ontwerp is gebaseerd op dat van
Whitehall Palace in Londen, is
ruimte voor tijdelijke tentoonstellingen. *Di–zo 9.00–17.00 uur, Breite Strasse 8–12 en 13*

ETEN EN DRINKEN

Café Heider   **[119 E4]**
🏃 Bij de Nauener Tor, met een terras en op zondag een uitgebreid
ontbijtbuffet. *Ma–vr vanaf 8.00, za
vanaf 9.00, zo vanaf 10.00 uur
(open eind), Friedrich-Ebert-Strasse 29, tel. 0331–2705596,* €

Matschkes Galerie-Café   **[119 E3]**
Gezellig café met een romantische
binnenplaats. Russische keuken.
*Dag. 12.00–23.00 uur, jan.–maart
ma gesl., Alleestrasse 10, tel.
0331–2800359,* €

Mövenpick
Zur Historischen Mühle [118 C4]

Aan Park Sanssouci. Men zegt dat Frederik II last had van het geluid van de molenwieken. *Dag. 8.00– 24.00 uur, An der Historischen Mühle, tel. 0331–281493, €€*

Prinz Leopold [O]

Gezellig restaurant met tuin in de buurt van de Glienicker Brücke. Zeer goede keuken en toch niet duur. *Dag. 12.00–24.00 (keuken tot 22.00) uur, Waldmüllerstrasse 8 (te voet goed te bereiken vanaf de Königstrasse voorbij het Jagdschloss Glienicke), tel. 0331–7046831, €*

Ristorante Pino [119 D4]

Dit restaurant staat al vanaf het begin vermeld als aanrader in de restaurantgids Gault-Millau. *Ma–vr 12.00–15.00 en 18.00–24.00, za 17.00–24.00 uur, Weinbergstrasse 7, tel. 0331–2703030, €€€*

Speckers Gaststätte
Zur Ratswaage [119 E5]

Gastronomie op een historisch plekje. *Di–za 12.00–15.00 en 18.00– 1.00, zo 12.00–15.00 uur, Am Neuen Markt 10, tel. 0331– 2804311, €€€*

Villa Kellermann [119 F3]

〰️ De mooiste Italiaan van Potsdam met fraai uitzicht over de Heiliger See. *Ma–do vanaf 16.00, vr–zo vanaf 12.00 uur (open eind), 15 sept.– 15 april ma gesl., Mangerstrasse 34–36, tel. 0331–291572, €€*

Waage [119 E5]

Aan de gerenoveerde Neuer Markt. Goede keuken, 's zomers terras. *Dag. 12.00–24.00 uur, Am Neuen Markt 12, tel. 0331–2709675, €€*

ACCOMMODATIE

Cecilienhof [119 F1]

★ De kamers in dit slot zijn zeer fraai ingericht. *42 kamers, 14469 Potsdam, Im Neuen Garten, tel. 0331–37050, www.relaxa-hotel. de, €€€*

UITGAAN

Hans-Otto-Theater [119 E5]

De schouwburg is ondergebracht op een bijzondere, tijdelijke locatie. Er worden ook vaak voorstellingen gegeven in het Schlosstheater in het Neues Palais [118 C4]. *Am Alten Markt, tel. 0331–275710, VVK ma–do 10.00–18.00, vr/za 10.00– 13.00 uur*

Kabarett am Obelisk [119 D5]

Satirische, politiek getinte voorstellingen. *Charlottenstrasse 31, tel. 0331–291069, VVK: di–za 17.30– 19.30, zo 17.00–19.00 uur*

Waschhaus [119 F4]

🏃 Ontmoetingsplek voor alternatief Potsdam: een club, een disco en een bioscoop onder één dak. *Schiffbauergasse 1, tel. 0331–2715626*

INFORMATIE

Informatie over Potsdam, *april–okt. ma–vr 9.00–20.00, za 9.00–18.00, zo en feestdagen 9.00–16.00 uur, nov.– maart ma–vr 10.00–18.00, za, zo en feestdagen 10.00–14.00 uur, Friedrich-Ebert-Strasse 5, 14467 Potsdam, tel. 0331–275580, fax 2755899, www.potsdam.de, www. d-potsdam.de (onder meer de geschiedenis van de stad);* Potsdam-Ticket, *Brandenburger Strasse 18, fax 0331–2755889*

Praktische tips

De belangrijkste adressen en informatie
voor uw reis naar Berlijn

Berlijn is vanuit alle richtingen goed te bereiken. Wegens werkzaamheden aan het spoor en verbouwingen van de stations wordt het treinverkeer echter regelmatig omgeleid.

Vliegtuig

Binnenlandse vluchten en vluchten uit West- en Noord-Europa, Moskou en Warschau komen aan op de luchthaven Tegel. Vluchten uit sommige Europese en Duitse steden komen aan op vliegveld Tempelhof. Op de luchthaven Schönefeld landen chartervluchten, vluchten uit Oost- en Noord-Europa, uit het Middellandse-Zeegebied, maar ook uit enkele hoofdsteden van Zuid- en West-Europese landen. De vliegvelden Tegel en Schönefeld kampen met ruimtegebrek en worden op termijn flink uitgebreid.
Bus 109 rijdt op het traject Tegel–Zoo, bus X 9 brengt reizigers naar de hotelwijk rond de Budapester Strasse. De luchthaven Schönefeld beschikt over een S-Bahn-station.

Trein

Berlijn kent geen kopstations, dus treinen uit alle richtingen passeren verschillende stations. Treinen uit het noorden, westen en zuiden doen doorgaans de stations Zoo, Friedrichstrasse en Ostbahnhof aan de Friedrichshain aan. Treinen uit Oost-Europa en het oosten van Duitsland komen aan in Schönefeld of op het Ostbahnhof. Treinen die niet doorrijden naar West-Europa hebben Lichtenberg als eindpunt.

Bus

Tussen de grote steden en de belangrijkste kuur- en vakantieoorden rijden bussen. Deze langeafstandsbussen vormen een voordelig alternatief voor de trein. Het centrale busstation vindt u op de Masurenallee, in de buurt van de Funkturm.

Auto

Alle snelwegen voeren via de ring rond Berlijn naar de binnenstad. De bewegwijzering is zeer duidelijk.

Berlin Tourist-Information

10787 Berlin, *Europa Center (ingang Budapester Strasse), ma–za 8.00–22.00, zo 9.00–21.00 uur; U-Bahn: Kurfürstendamm, Zoologischer Garten*

Brandenburger Tor, *Pariser Platz, Südflügel, dag. 9.30–18.00 uur*
Hotline: *250025, ma–vr 8.00–20.00, za–zo 9.00–18.00 uur, fax 25002424*
Luchthaven Tegel, *Infopoint, dag. 5.00–22.30 uur, bus: 109, 128, X9*
Postadres: *Berlin Tourismus Marketing GmbH, Am Karlsbad 11, 10785 Berlin*
Internetinfo: *www.berlin.de*
www. berlin-info.de
www.berlin-tourism. de
Voor reserveringen en informatie: *Reservation@bEm.de*

INLICHTINGEN IN BERLIJN

Inlichtingen over communicatie en diensten *tel. 011 89*
Luchthavens: *tel. 0180–5000186,* Lufthansa, informatie en reserveringen: *tel. 01803–803803*
Busstation voor langeafstandsbussen: *tel. 3010380*
Spoorwegen: *tel. 01805–996633*

GEVONDEN VOORWERPEN

Politie [116 A4–5]
Tempelhof, Platz der Luftbrücke 6, tel. 6995, U-Bahn: Platz der Luftbrücke

Deutsche Bahn/S-Bahn [99 E2]
Mitte, Hackescher Markt, tel. 29729612

BVG [0]
Tempelhof, Lorenzweg 5, tel. 25623040

INTERNET

Veel hotels, culturele instellingen en restaurants beschikken over een website. Algemene informatie vindt u op onderstaande websites:
www.BerlinOnline.de
www.kulturberlin.de
www.berlinportal.de
www.messeportal.de

INTERNETCAFÉS

Hai Täck [114 A6] *Tip*
Gehaktballen, gebakken aardappels, groenten en 16 computers – heel gezellig; ook cursussen voor beginners. *Dag. 11.00–1.00 uur, 6 euro per uur, Schöneberg, Brünnhildestrasse 8, tel. 85961413, www.haitaek.de, U- en S-Bahn: Bundesplatz*

Surf & Sushi [98 C1]
Een opmerkelijke combinatie: sushi- en cocktailbar met 40 internetterminals. *Ma–za 12.00–1.00, zo 13.00–2.00 uur, 3 euro per 30 minuten, Mitte, Oranienburger Strasse 17, tel. 28384898, www.surf trade.de, S-Bahn: Hackescher Markt*

ARTSEN

Noodgevallendienst (dag en nacht), *tel. 310031*
Arts, *tel. 19720*
Tandheelkundige hulp, *tel. 89004333*
Reddingsdienst Süd/Nord, *tel. 19200*
Psychische hulpverlening (alleen telefonisch), *tel. 0800–1110111*

ALARM

Politie: *110;* brandweer: *112*
ACE Wegenwacht: *01802–343536*
ADAC Wegenwacht: *01802–222222*

ADAC-Service: *01805–101112*
Noodhulp voor vrouwen:
6154243, 6157596
Gifalarm: *19240*

OPENBAAR VERVOER

Het openbaar vervoer van Berlijn is snel, schoon en betrouwbaar, zolang u tenminste 's avonds en 's nachts niet alleen in een lege coupé plaatsneemt. De verbindingen met het buitengebied zijn goed op elkaar afgestemd. De S-Bahn is verzelfstandigd en maakt nu deel uit van de Bundesbahn. De Berliner Verkehrs-Betriebe (BVG) beheren de U-Bahn, de buslijnen en het netwerk van tramlijnen.

In het BVG-gebied rijden de U-Bahn en de bussen van 4.00, respectievelijk 4.30 uur tot 0.15, respectievelijk 1.00 uur, S-Bahnen tot 23.30, respectievelijk 1.30 uur. Nachtbussen rijden tussen 1.00 en 4.00 uur. Op vrijdag- en zaterdagnacht rijdt de U-Bahn continu op de lijnen 12 en 9. Bij alle haltes en op alle stations vindt u een dienstregeling.

Er zijn drie tariefzones. A: binnenstad binnen de S-Bahn-ring, B: de gehele stad tot vlak over de stadsgrens, C: de omgeving tot Potsdam. Enkele reis: 2 euro, dagkaart circa 4 euro. Goedkoop is ook een *Welcome Card* (72 uur geldig) voor 16 euro, die tevens korting geeft op de toegangsprijs in musea. Dagkaarten kunt u tot 3 uur 's nachts gebruiken. BVG-klantenservice en tariefinformatie: *tel. 19449*

**Berliner
Verkehrs-Betriebe**   **[115 D3]**
Schöneberg, Potsdamer Strasse 188, tel. 256-0, U-Bahn: Kleistpark

PARKEREN

Parkeren in de binnenstad wordt steeds moeilijker. Wie zich niet aan de regels houdt, wordt weggesleept en dat kost dan ongeveer 125 euro. In veel wijken is betaald parkeren ingevoerd. U betaalt 1 tot 2 euro per uur. In deze wijken hebt u redelijk veel kans om een plekje te vinden. De meeste grote hotels hebben voldoende eigen parkeergelegenheid. Bovendien heeft vooral de West-Berlijnse binnenstad verscheidene parkeergarages, waarin u meestal wel een plaatsje vindt, bijvoorbeeld in de Uhlandstrasse, de Kantstrasse, de Fasanenstrasse en achter het Europa Center. Voor het eerste uur betaalt u doorgaans 2 euro, een hele dag kost 10 euro of meer.

ZWEMBADEN

In alle delen van de stad zijn openlucht- en overdekte zwembaden te vinden. De populairste openluchtbaden zijn: *Olympia-Schwimmstadion, Olympischer Platz 3; Freibad Müggelsee, Fürstenwalder Damm 838; Freibad Neukölln, Columbiadamm 113–119; Sommerbad Wilmersdorf, Forckenbeckstrasse 14; Sommerbad Pankow, Am Schlosspark,* en *Strandbad Wannsee, Wannseebadweg 25.*

RONDRITTEN

Er zijn verschillende busbedrijven die rondritten organiseren langs de bekendste bezienswaardigheden. Ze vertrekken bijna allemaal tegenover de Gedächtniskirche, maar ook bij de Alexanderplatz kunt u opstappen. Een korte rondrit kost

15, een lange rondrit 20 en voor de Potsdamtour betaalt u 30 euro.

Rondleiding rond een bepaald thema, zoals Berlijn rond 1800, literatuur, mode of de regeringsgebouwen, zijn wellicht interessanter. *Stattreisen, tel. 4553028; Schölzel, tel. 3959799; Kulturbüro Berlin* (architectuur), *tel. 4440936; Art Berlin* (salons, galeries, wandelingen langs de voormalige Muur), *tel. 28096390.* City Guide organiseert individuele uitstapjes over land, water en in de lucht, en dat in twaalf talen, *tel. 03329–614397.*

U kunt een boottochtje maken over de Havel of de Potsdamser Havelmeren, maar de grachten en rivieren van Berlijn zijn ook het bekijken waard (rondvaarten vaak met cultuurhistorische informatie): *Stern- und Kreisschifffahrt, tel. 536360-0, fax 53636099; Riedel, tel. 6913782, fax 6942191.* Rondritten (1 uur) door het centrum: *(vertrek Zeughaus en Liebknecht-Brücke): Berliner Wassertaxi, tel. 65880203, en City Schifffahrt, tel. 3457783.*

Een voordelige rondrit maakt u op het bovendek van bus 100 en 200, vertrekpunt: Bahnhof Zoo. Een rit met de panoramatrein van de S-Bahn is ook leuk, mei–half okt. za en zo, informatie vertrektijden: *tel. 29719843, www. s-bahn-berlin.de.*

U betaalt 1,50 euro voor de eerste zeven kilometer en daarna 1 euro per kilometer. Vanaf de luchthaven Tegel naar het westelijk deel van het centrum kost 15 euro, naar het oostelijke deel 20 euro. Taxicentrales: *Funk Taxi: 261026; Spree Funk: 443322; Taxi Funk: 69022; Würfelfunk: 210101*

Hoeveel kost het?

koffie — **2–3 euro** een kop (niet op terras)

ijs — **1 euro** twee bolletjes

wijn — **3–4 euro** een glas

water — **2–3 euro** een fles in een restaurant

benzine — **1 euro** een liter super

busrit — **2 euro** een buskaartje

TELEFOON

De meeste telefooncellen in Berlijn zijn alleen te gebruiken met kaarten. Wie geen mobiele telefoon heeft, doet er dus goed aan zo'n kaart aan te schaffen. Vanuit sommige cellen kunt u gratis bellen met politie of brandweer. Landennummers: eerst 00 toetsen, vervolgens 31 voor Nederland, 32 voor België.

THEATER- EN CONCERTKAARTEN

In de betere hotels regelt men graag uw kaartjes, maar als u nog dezelfde avond het Philharmoniker wilt horen, zal ook de doortastendste baliemedewerker u niet kunnen helpen. Reserveren dus!

De kassa berekent een toeslag van 10 tot 15 procent op de prijs van het kaartje. De *Kant-Kasse* is gespecialiseerd in jazzconcerten.

KaDeWe Showtime: tel. 2177754,

fax 80602922; Kant-Kasse: tel. 3134554, fax 3126440; TAKS (verzendt ook kaarten): tel. 3410133, 3410203, fax 3413164; telefonische kaartverzending: Koka 36, tel. 6158818, 6158918, fax 6158719, www.icf.de/koka36
Berliner Festspiele: tel. 254890, fax 25489111, www.berlinerfestspiele.de, Infoladen: Budapester Strasse 48, tel. 25489250; Brandenburgische Sommerkonzerte: tel. 890434-0, fax -40; Glienicker Schlosskonzerte: tel. 8053041; Kindermusiktheater: tel. 61609543

FOOIEN

De prijzen in restaurants en cafés zijn inclusief bediening, maar wanneer het eten bijzonder goed was en de bediening vriendelijk, dan kunt u zo'n 5 tot 10 procent fooi geven. Taxichauffeurs rekenen op een fooi van ongeveer 10 procent. Garderobepersoneel verwacht geen fooi, maar het wordt zeer ge-waardeerd wanneer u het bedrag naar boven afrondt. Bij de kapper of in het hotel geeft u voor geleverde diensten 1 tot 2 euro, in duurdere hotels doorgaans iets meer.

VELOTAXI

Een ritje met een fietsriksja (kosten 3 tot 8 euro) is een bijzondere belevenis, maar doe dit alleen als u geen haast hebt. Er zijn drie trajecten: Adenauerplatz–Wittenbergplatz, Europa Center–Pariser Platz, Pariser Platz–Alexanderplatz. tel. 0172–3288888

OVERZICHT UITGAANSAANBOD

De tijdschriften *tip* en *Zitty* geven een overzicht van het aanbod in de theaters en bioscopen. Ze vermelden toegangsprijzen en hoe u er komt met het openbaar vervoer. Ook het maandblad *Berlin Programm* is een handige bron van informatie.

Het weer in Berlijn

	jan.	feb.	mrt.	april	mei	juni	juli	aug.	sept.	okt.	nov.	dec.
Dagtemperatuur in °C	2	3	8	13	19	22	24	23	19	13	7	3
Nachttemperatuur in °C	-3	-3	0	4	8	12	14	13	10	6	2	-1
Zonuren per dag	2	3	5	6	8	8	8	7	6	4	2	1
Aantal dagen met neerslag per maand	11	9	8	9	9	9	11	9	8	9	10	9

Stadsplattegrond Berlijn

De bladzijde-indeling van de stadsplattegrond treft u aan op de achterzijde van deze gids

Autobahn Motorway (Freeway)		Autoroute Snelweg	
Vierspurige Straße Road with four lanes		Route à quatre voies Vierbaansweg	
Bundes-/Fernstraße Federal/trunk road		Route fédérale/nationale Rijksweg	
Hauptstraße Main road		Route principale Hoofdweg	
Fußgängerzone - Einbahnstraße Pedestrian zone - One way road		Zone piétonne - Rue à sens unique Voetgangerszone - Eenrichtingsverkeer	
Hauptbahnhof mit Bahnhof Main railway with station		Chemin de fer principal avec gare Spoorlijn met station	
U-Bahn Underground (railway)		Métro Metro	
Buslinie - Straßenbahn Bus-route - Tramway		Ligne d'autocar - Tram Buslijn - Tram	
Information - Jugendherberge Information - Youth hostel		Information - Auberge de jeunesse Informatie - Jeugdherberg	
Kirche - Sehenswerte Kirche Church - Church of interest		Église - Église remarquable Kerk - Bezienswaardige kerk	
Synagoge - Moschee Synagogue - Mosque		Synagogue - Mosquée Synagoge - Moskee	
Polizeistation - Postamt Police station - Post office		Poste de police - Bureau de poste Politiebureau- Postkantoor	
Krankenhaus - Hotel Hospital - Hotel		Hôpital - Hôtel Ziekenhuis - Hotel	
Denkmal - Funk- oder Fernsehturm Monument - Radio or TV tower		Monument - Tour d'antennes Monument - Zendmast radio of tv	
Theater - Taxistand Theatre - Taxi rank		Théâtre - Station taxi Theater - Taxistandplaats	
Feuerwache - Schule Fire station - School		Poste de pompiers - École Brandweer - School	
Freibad - Hallenbad Open air -/ Indoor swimming pool		Piscine en plein air - Piscine couverte Openluchtzwembad - Overdekt zwembad	
Öffentliche Toilette - Ausflugslokal Public toilet - Restaurant		Toilette publique - Restaurant Openbaar toilet - Restaurant	
Parkhaus - Parkplatz Indoor car park - Car park		Parking couvert - Parking Parkeergarage - Parkeerterrein	

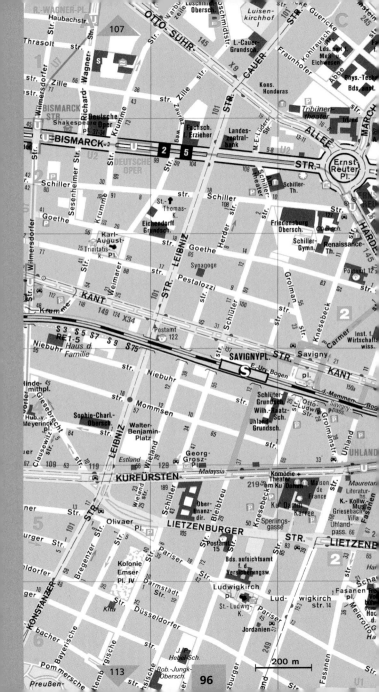

R.-WAGNER-PL.
Haubachstr.
Thrasolt str.
Wilmersdorfer str.
Zille str.
BISMARCK STR
Shakespeare Pl.
Deutsche Oper
Richard-Wagner-Str.
Krumme str.
Zaunt weg
OTTO-SUHR-
Löschmidt-Obersch.
Luisen-kirchhof
L.-Cauer-Grundsch.
Fraunhofer str.
Schmidtstr.
L.-Cauer-
CAUER STR.
Kons. Honduras
Abbe str.
Phys.-Techn. Bds. Anst.
Tribünen-theater
U-BISMARCK-STR.
DEUTSCHE OPER
2 5
Fachsch. f. Erzieher
Landes-zentral-bank
STR.
Ernst-Reuter-Pl.
MARCH ALLEE
Schiller str.
Goethe str.
Sesenheimer Str.
Krumme str.
St.-Thomas-K.
Eichendorff Grundsch.
Schiller str.
Schiller-Th.
Friedensburg Obersch.
Schiller-Gymn.
Renaissance-Th.
HARDE 145
Karl-August-Pl.
Trinitatis-k.
Weimarer str.
LEIBNIZ STR.
Goethe str.
Herder str.
Synagoge
Pestalozzi str.
Groman str.
Postamt 12
KANT STR.
Krum
Schlüter str.
Knesebeck str.
Carmer str.
Inst. f. Wirtschafts-wiss.
149 124 X34
Postamt 122
S3 S5 S7 S9
RE1-5 S75
Niebuhr str.
Haus d. Familie
SAVIGNYPL. STR.
Savigny pl.
KANT
Niebuhr str.
J.-Mammen
linde-mithpl.
Gieseb...
Mommsen str.
Schlüter-Grundsch.
Wilh.-Kaatz-Sch.
Uhland-Grundsch.
Otto-Ludwig-Str.
Savigny-pass.
Groman str.
UHLAND
Sophie-Charl.-Obersch.
Hub.-v.-Meyerinck-str.
Clausewitz str.
LEIBNIZ STR.
Walter-Benjamin-Platz
Wieland str.
Georg-Grosz-Pl.
Estland
KURFÜRSTEN-
Malaysia
Komödie + Theater am Ku'Damm
Maison de France
Mauretan
Literatur-hs
K.-Kollw.-Mus
Griesebach Villa
Uhland-pass. 66
Ober-finanz-dir.
Bleibtreu str.
Ku'Damm
Karree
Sperlings-gasse
LIETZENBURGER
Wieland str.
Schlüter str.
Knesebeck str.
Olivaer Pl.
Bregenzer str.
Pariser str.
Postamt 15
Bds. aufsichtsamt f. d. Versicherungsw.
KONSTANZER
Kolonie Emser Pl. IV
Darmstädt. Str.
Düsseldorfer str.
Kita
Ludwigkirch pl.
St.-Ludwig-K.
Lud-wigkirch str.
Fasanen pl.
Pariser str.
Jordanien
Bayerische
Pommersche
Preußen-
J.-F.-Hebel-Sch.
Rob.-Jungk-Obersch.
Fasanen str.
200 m

107
113
96

BEERSALOON
AM KU'DAM
KURFÜRSTE   MM 225-226
10   BERLIN
TEL.: 884 39 90

TISCH   83
0.4L   KENNY
                    3.80 EUR
RIESLI
                    0 EUR
ERDNUES
                    00 EUR

BRUTTOUMSATZ
16.00% MWST 0
NETTOUMSATZ   7.07

BA   8.20

ES BEDIENT SIE IWONA 3,80
    KOMMEN SIE BALDWIEDER

    VIE

8284 3   04 19:23 2

T

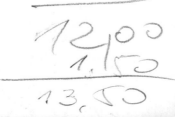

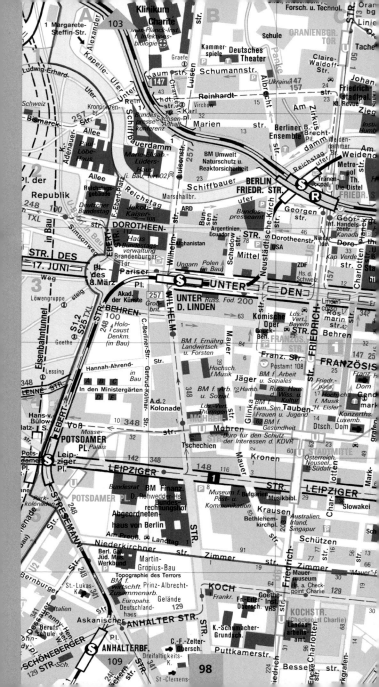

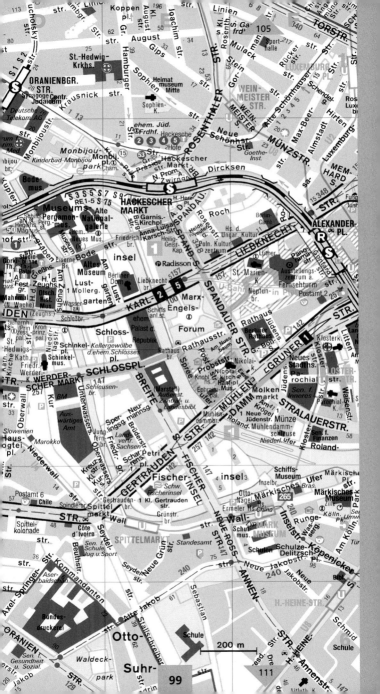

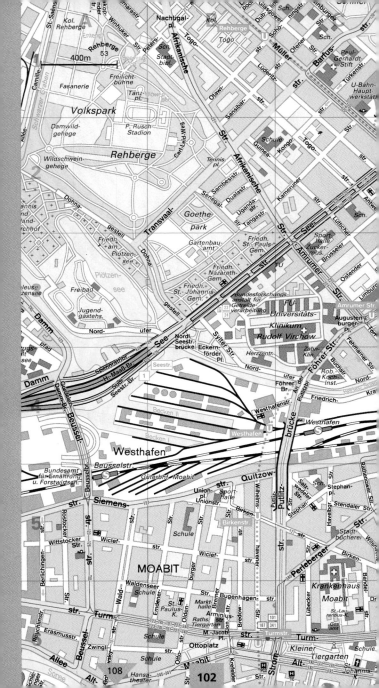

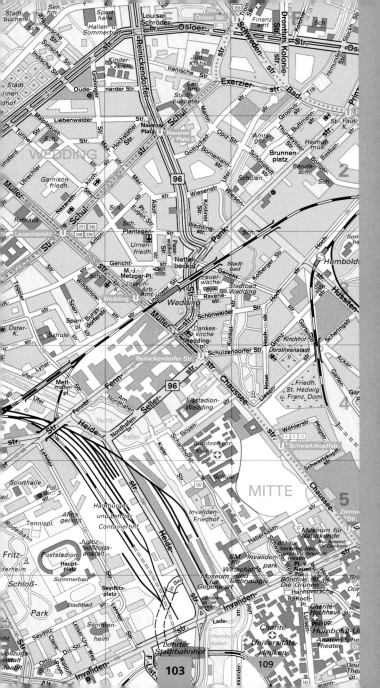

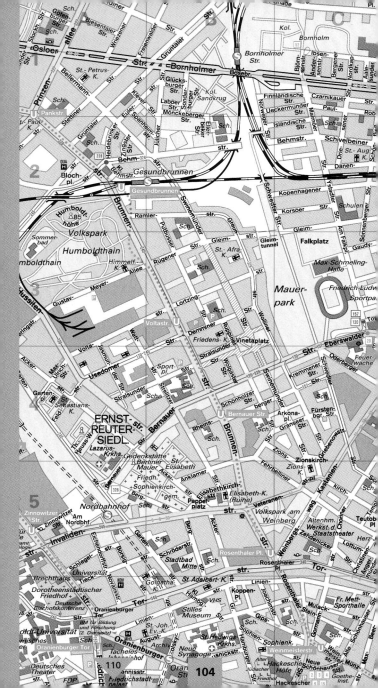

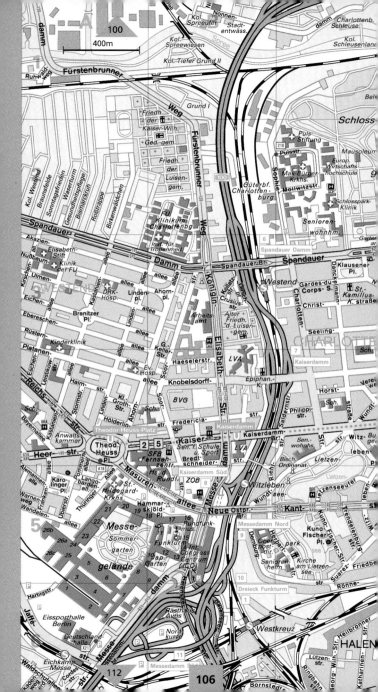

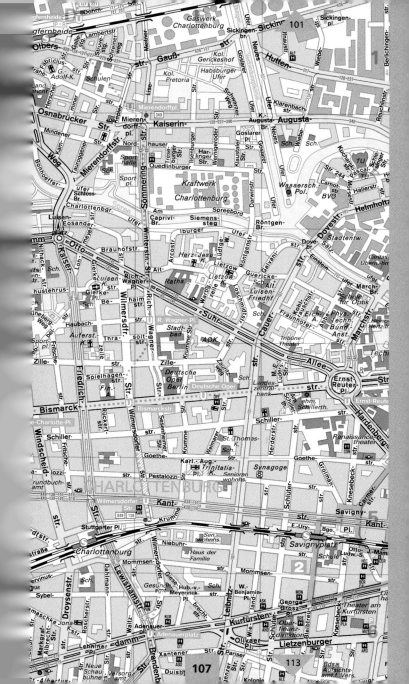

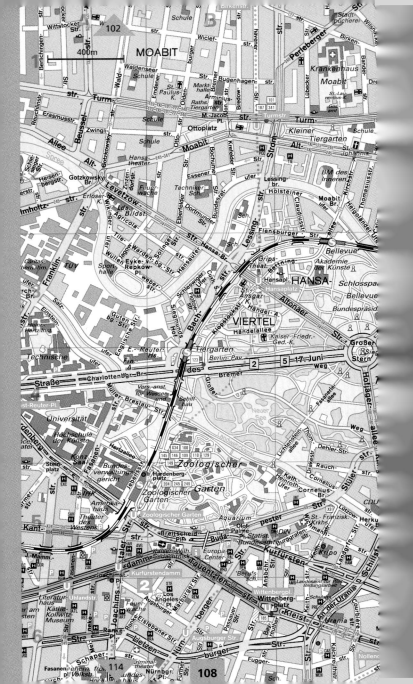

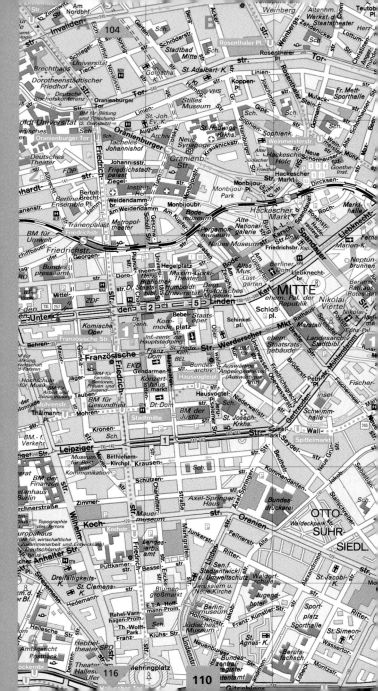

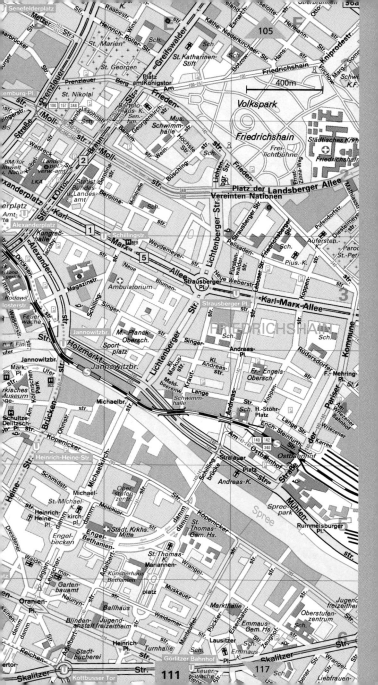

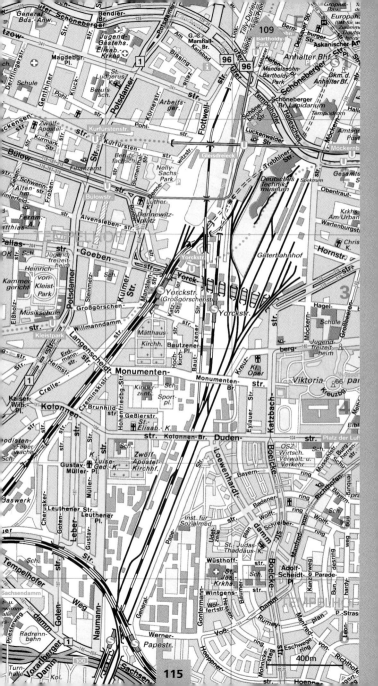

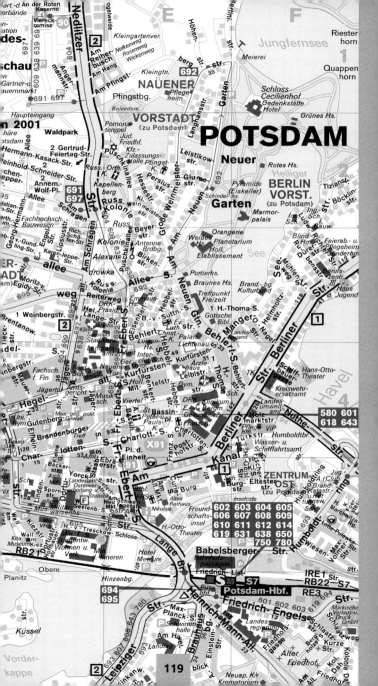

Het register bevat een keuze uit de op de stadsplattegrond aangegeven straten en pleinen

REGISTER

In dit register vindt u alle in deze gids genoemde bezienswaardigheden en musea, maar ook belangrijke begrippen en
personen. Vetgedrukte bladzijdenummers verwijzen naar een
uitgebreide bespreking, cursieve naar een foto.

REGISTER

Colofon

Omslagfoto: Koepel van de Rijksdag (Look: H. Wohner)
Foto's: Adlon (63); Bildarchiv Berlin (34); R. Freyer (binnenkant voorflap, links), 5o., 25, 29, 49, 62, 70, 76, 79, 82, 84, 87, 88); J. Gläser (8, 44, 52, 56, 60, 68); Grüner Salon (binnenkant voorflap, onder, 74); HB Verlag, Hamburg (15, 20, 42); Kempinski Hotel (2l., 64); Lade: Tzimopulos (10); Mauritius: Schnürer (22); K. U. Müller (7, 13, 31, 35, 50, 55); Oxymoron/Thil (127); H. Schlemmer (4, 12, 38, 46, 71, 78); O. Stadler (binnenkant voorflap, boven, 1, 2r., 5b., 6, 14, 18, 26, 33, 57); ydo sol (67)

© 2002 International rights: Mairs Geographischer Verlag, Ostfildern
Samengesteld door: Ferdinand Ranft
Ontwerp/lay out: red.sign, Stuttgart
Cartografie stadsplattegronden: © Mairs Geographischer Verlag/Falk Verlag, Ostfildern
© 2002 Nederlandse uitgave: Van Reemst Uitgeverij/Unieboek bv
Postbus 97
3990 DB Houten
www.marcopologids.nl

9de druk 2003

Boekverzorging: *de Redactie,* Amsterdam
Vertaling: Wybrand Scheffer
Bewerking: Catherine Smit
Omslagontwerp: Teo van Gerwen-design, Leende
Druk: Giethoorn ten Brink BV, Meppel

ISBN 90 410 3007 7
NUR 512